QUANTE STORIE!

di autori italiani contempora
con proposte didattiche

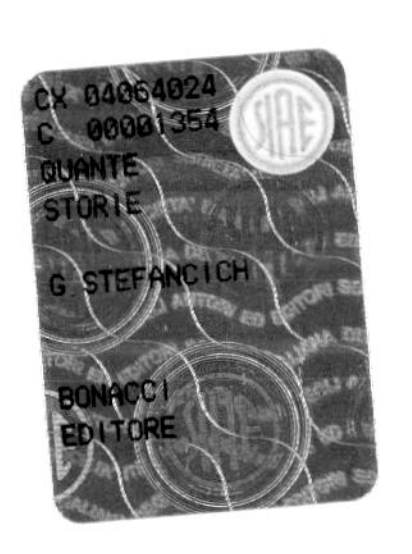

Giovanna Stefancich

quante storie!

di autori italiani contemporanei

con proposte didattiche
livello intermedio e avanzato

Q.R.E.: B1-C1

Bonacci editore

L'editore è a disposizione degli aventi diritto con i quali non gli è stato possibile comunicare, nonché per eventuali involontarie omissioni o inesattezze nella citazione delle fonti dei brani riprodotti nel presente volume.

I diritti di traduzione, di memorizzazione elettronica, di riproduzione e di adattamento totale o parziale, con qualsiasi mezzo (compresi i microfilm e le copie fotostatiche), sono riservati per tutti i paesi.

Bonacci editore srl
Via Paolo Mercuri, 8
00193 ROMA (Italia)
tel:(++39) 06.68.30.00.04
fax:(++39) 06.68.80.63.82
e-mail: info@bonacci.it
http://www.bonacci.it

Printed in Italy
© Bonacci editore, Roma 2005
ISBN 88-7573-391-0

quante storie!

indice

introduzione

Quante storie! raccoglie e presenta scritti di autori italiani contemporanei che hanno pubblicato intorno al volgere del millennio. Si tratta di brani tratti da opere narrative e di qualche poesia.
Grazie alla scelta di testi recenti e recentissimi, *Quante storie!* ha l'ambizione di fornire una panoramica non esaustiva ma rappresentativa del paese letterario di questi ultimi anni e delle tematiche che lo attraversano. Compaiono nel libro i temi della classicità ancora così presente da noi, nella recita amatoriale che mette in scena l'*Odissea* (Pontiggia) e nei miti di Dedalo e del Minotauro rivisitati da Tabucchi; compaiono gli omaggi letterari al nostro *Pinocchio* di cui continuiamo a nutrirci (Onofri) e a libri di culto come *Le mille e una notte* e *Il piccolo principe* (Magrelli e Brizzi). Accanto all'emigrazione italiana all'estero (Mazzucco) e all' immigrazione di stranieri nel nostro paese (Lodoli), troviamo la famiglia nella celebrazione del matrimonio in Crovi, nell'affettuoso ricordo del nonno di Carofiglio e nella elaborata cottura del pane per i suoi cari della Sereni, troviamo l'amore per le città italiane (la Torino della Mancinelli e i monumenti romani di Zeichen), la sempreviva mala pianta della burocrazia (Starnone) e l'ossessione tutta nuova dei cellulari (Piccolo), ci sono anche tracce di episodi criminali nel rapimento di un bambino in Ammanniti e nella sparatoria raccontata da Lucarelli. Tra i protagonisti di queste storie sono molti i giovani e i giovanissimi che si affacciano alla vita con difficoltà nello studio, nelle convivenze famigliari e nei primi amori ma mostrano coraggio, amano gli animali e sanno cogliere i dettagli di una scena criminosa prima e meglio degli adulti.
In linea generale, la lingua di questa nostra letteratura contemporanea, anche per la poesia, appare abbassata di registro, una lingua colloquiale che non disdegna l'uso di termini poco forbiti e di qualche vero e proprio "errore" rispetto ai canoni tradizionali della grammatica, inoltre inserisce volentieri neologismi, linguaggi giovanili e prestiti da lingue regionali. Ma non mancano esempi invece di lingua più sostenuta e più tradizionalmente letteraria, con qualche arcaismo e poeticità, a volte usati ironicamente. Non è infrequente la commistione di registri che offrono nell'insieme una lingua ricca, con apporti nuovi, indipendente dagli schemi e vitale.

La brevità dei testi selezionati è dovuta a motivi didattici: si è tenuto infatti in considerazione che gli utenti hanno o possono avere problemi con la lingua ed è bene che esauriscano il loro lavoro prima di perdere la concentrazione. Per agevolarne la comprensione e l'approfon-

introduzione

dimento, ogni testo è accompagnato da un apparato di lavoro che fornisce qualche notizia su ciascuno scrittore e la sua opera (nella rubrica *L'autore*); per i testi in prosa, che sono estrapolati da un contesto più ampio e necessitano di essere meglio collocati, sono offerti riassunti e commenti sui libri da cui sono tratti nella rubrica chiamata *Il libro*. La rubrica *Tra le righe* propone numerose e variate attività, volte a potenziare le abilità di lettura attraverso esercizi di coesione testuale, di lavoro sul lessico e sul linguaggio dei gesti, di individuazione di elementi culturali, geografici etc. I quesiti posti invitano il discente a farsi parte attiva del suo apprendimento e lo guidano a una maggiore consapevolezza nell'accostarsi al testo.
Quante storie! è inoltre fornito di tutte le soluzioni alle domande poste negli esercizi ed è così utilizzabile anche dal discente autonomo che preferisca o debba lavorare senza un insegnante.
La rubrica *Parliamo!* presuppone invece una classe o un gruppo anche ristretto di lavoro, offrendo spunti per la rielaborazione del testo, per dialoghi, conversazioni e discussioni che riutilizzino gli argomenti, le parole e le espressioni di ciascuna lettura.

Quante storie! si rivolge essenzialmente a discenti di italiano come L2 che abbiano già una conoscenza della lingua di livello intermedio-avanzato. I testi, che non sono rimaneggiati né facilitati in alcun modo, presentano difficoltà linguistiche di qualche rilievo ma la loro comprensione è resa più semplice da una lettura molto orientata. Il libro si propone comunque a anche a discenti di prima lingua che non si sentano in grado di fare riflessioni sulla lingua senza una guida. Il suo utilizzo prescinde dall'ordine in cui compaiono gli autori che sono semplicemente collocati in ordine alfabetico. Anche per i singoli esercizi non occorre svolgerli sempre tutti né seguire l'ordine proposto ma si possono di volta in volta approfondire gli interessi linguistici del momento.
Per le sue caratteristiche, *Quante storie!* si propone per un corso di lettura, con l'obiettivo di perfezionare la lingua e di acquisire informazioni sulla società italiana di oggi, attraverso la lettura che ne fanno gli autori letterari. Si può usare anche per un vero e proprio corso di letteratura che voglia occuparsi di autori contemporanei, magari invogliando il discente a partire da questi estratti per affrontare poi i libri interi. Grazie alla rubrica *Parliamo!* illustrata sopra, può essere inoltre un utile strumento in un corso di conversazione.

Io non ho paura
Niccolò Ammaniti

1 Ho provato ad alzarmi. Avevo sbattuto sul fianco, una fitta di dolore mi irrigidiva la gamba e il braccio. Mi sono voltato. Felice si era tolto il cappuccio e avanzava verso di me a passo di carica puntandomi il fucile contro. Vedevo il carro armato dei suoi anfibi diventare sempre più grande.

5 Ora mi spara, ho pensato.

Ho cominciato a strisciare, tutto acciaccato, verso il bosco.

–Volevi farlo scappare, eh? Ma ti sei sbagliato. Hai fatto i conti senza l'hostess. Mi ha dato un calcio sul sedere. – Alzati, fessacchiotto. Che fai là a terra? Alzati! Per caso ti sei fatto male? – Mi ha sollevato per l'orecchio. – Ringrazia Iddio che 10 sei figlio di tuo padre. Sennò a quest'ora... Ora ti porto a casetta. Deciderà tuo padre la punizione. Io il mio dovere l'ho fatto. Ho fatto la guardia. E ti dovevo sparare – Mi ha trascinato nel boschetto. Avevo così tanta paura che non riuscivo a piangere. Inciampavo, finivo a terra e lui mi rimetteva in piedi tirandomi per l'orecchio.– Muoviti, su, su, su!

15 Siamo usciti fuori dagli alberi.

Di fronte a noi la distesa gialla e incandescente di grano si allungava fino al cielo. Se mi ci tuffavo dentro non mi avrebbe trovato mai.

Con la canna del fucile Felice mi ha spinto alla 127 e ha detto: – Ah già, ridammi il coltello!

20 Ho provato a ridarglielo ma non riuscivo a infilare la mano nella tasca.

– Faccio io! – me lo ha preso. Ha aperto lo sportello, ha sollevato il sedile e ha detto: – Sali!

Sono entrato e davanti c'era Salvatore.

– Salvatore, che ci...? – Il resto mi è morto in bocca.

25 Era stato Salvatore. Aveva fatto la spia a Felice.

Salvatore mi ha guardato e si è girato dall'altra parte.

Mi sono seduto dietro senza dire una parola.

Felice si è piazzato al volante. – Caro Salvatore, sei stato proprio bravo. Qua la mano. – Felice gliel'ha presa. – Avevi ragione, il ficcanaso c'era. E io che non ti 30 credevo. – È sceso. Le promesse sono promesse. E quando Felice Natale fa una promessa la mantiene. Guida. Vai piano però.

– Adesso? – ha chiesto Salvatore.

– E quando? Siediti al posto mio.

Felice è entrato dalla porta del passeggero e Salvatore è passato al volante. – Qui 35 è perfetto per imparare. Basta che segui la discesa e ogni tanto freni.

Salvatore Scardaccione mi aveva venduto per una lezione di guida.

L'autore

Nato a Roma nel 1966. Nel 1994 escono con Ediesse poche copie del suo primo romanzo *Branchie* poi ristampato da Einaudi. La successiva raccolta di racconti *Fango* lo fa conoscere a un vasto pubblico, specialmente di giovani. La grande popolarità arriva però coi suoi ultimi libri, *Ti prendo e ti porto via* e soprattutto *Io non ho paura* che ha venduto mezzo milione di copie ed è stato tradotto in 24 paesi. Nel 2003, il regista Gabriele Salvatores ne ha tratto un film con lo stesso titolo, anche questo di grande successo.

Il libro

Michele ha nove anni e abita in una sperduta frazione di campagna nel Sud d'Italia. In una grotta lì vicino casualmente trova un bambino ricco, suo coetaneo, che è stato rapito ed è tenuto prigioniero. Nel tentativo di aiutarlo, Michele verrà scoperto dai rapitori che in realtà lui conosce molto bene.

Tra le righe

1. Il personaggio di Felice è ritratto con molta ironia. Nella frase che pronuncia a *riga 7* "hai fatto i conti senza l'hostess" c'è un grosso e ridicolo errore.

a. Qual è l'espressione vera, molto comune? ....

b. Che cosa significa? ....

c. Che cosa c'è, inoltre, di strano e ridicolo nel nome e cognome di Felice? (*riga 30*) ....

2. In questo testo la lingua usata è spesso colloquiale. Nelle frasi che seguono, quali sarebbero state le forme più corrette, secondo la grammatica tradizionale?

riga 11: Io il mio dovere l'ho fatto.

righe 11-12: E ti dovevo sparare.

riga 17: se mi ci tuffavo dentro

riga 35: basta che segui la discesa

3. Provate a terminare queste frasi lasciate in sospeso nel testo.

riga 10: Sennò a quest'ora..

riga 24: Salvatore, che ci..

4.a Cercate nel testo una parola di insulto, un po' volgare ma non troppo offensiva.

....

b. Cercate nel testo una parola informale che indica una persona indiscreta che si occupa di questioni non sue.

....

5.a A *riga 3* compare: "carro armato".
Il carro armato è "un veicolo usato in combattimento" ma qui ha un significato secondario non molto frequente. Qual è?

b. A *riga 4* compare: "anfibi".
Questa parola vuol dire "animali che vivono sia sulla terra che in acqua" o anche "mezzi navali che si muovono anche su terra" ma qui ha un significato abbastanza nuovo che non è riportato su tutti i vocabolari. Qual è?

6.a Rispondete.

A *riga 29* Felice "prende la mano" di Salvatore per congratularsi con lui. Quale di queste immagini descrive la scena?

a.

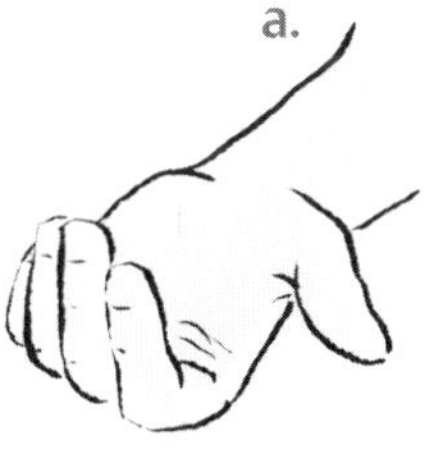

b.

c.

b. Con quali parole Felice accompagna il gesto?

....

7. Dividete le seguenti parole del testo in tre gruppi di significato omogeneo.

bosco • 127 • sportello • fianco • boschetto • gamba • braccio
alberi • sedere • sedile • grano • orecchio • volante

8. Senza guardare il testo, cercate di ricordare le espressioni colloquiali sostituite qui dalle parti in neretto.

"ho cominciato a strisciare **malridotto e dolorante**" ....

"**non sono riuscito a dire il resto**" ....

"Felice si è **sistemato** al volante" ....

Parliamo!

1. "Il tradimento". Commentate, discutete e fate esempi.

2. Salvatore "ha fatto la spia". È giusto o sbagliato "fare la spia"? Discutete questo punto con i vostri compagni.

3. Insieme con un compagno improvvisate un dialogo fra Felice e Salvatore, precedente ai fatti raccontati nel testo, in cui concludono il loro accordo.

4. Secondo voi, perché per Salvatore è così importante imparare a guidare? Immaginate e raccontate in prima persona le sue motivazioni.

Achille Piè Veloce

Stefano Benni

L'uomo attraversò la strada con prudenza, sentì sulla testa il prurito di una pioggerella e raggiunse la luce gialla che faceva da cometa a una pensilina. Qui l'uomo coi libri sottobraccio trovò riparo insieme ad alcuni suoi simili.

Un vecchio con un borsello e un miniombrello che non si apriva più da un mese, ma a cui si era affezionato. Una donna con un collo di volpe e un gatto in gabbietta. Un signore distinto con una valigia rigida che non chiudeva bene. Un filippino che invece era un tailandese. E infine una coppia di ragazzi con capelli puffo lui papavero lei recanti sulle spalle due zainetti scolastici gonfi come lo stomaco di un pitone sazio.

Sembrava tutto tranquillo, e l'uomo coi libri sottobraccio, di nome Ulisse, sistemò i libri in una busta di plastica per non bagnarli e si sedette. Ma i demoni dell'autunno annunciarono un imminente rivolgimento. Prima fu un botto di tuono, poi un lampo che fotografò un cielo da apocalisse, e uno scroscio oceanico di pioggia che convinse tutti a stringersi sotto la pensilina. In fondo alla strada si avvertì un grido rauco, e uscendo da una curva in leggera discesa apparve il dragobruco. Forando con gli occhi gialli la parete di nebbia, si avvicinò dondolando la testa mostruosa in direzione delle prede. Era lungo più di dieci metri, color rosso sangue, con sei zampe rugose su cui galoppava veloce tra le file di auto parcheggiate. Quando fu vicino alla pensilina, fece brillare a intermittenza un occhietto giallognolo sulla parte destra del muso, un osceno ammiccamento bramoso. Poi si fermò con stridere di zanne davanti agli umani incapaci di fuggire, paralizzati dal terrore.

Spalancò lentamente non una ma tre bocche. Con due di esse ingoiò le vittime, dalla terza ne sputò fuori una evidentemente masticata e digerita. Chiuse di colpo le fauci e ripartì con un soffio satollo.

Dietro a lui si mise a correre una ragazzina bionda con le trecce al vento e lo zainetto sulle spalle. Lo inseguiva urlando, con coraggio incredibile per la sua giovane età. Certamente aveva visto scomparire nella bocca del mostro un genitore o forse un compagno di scuola, e senza paura alcuna si avventò contro il fianco del dragone e lo colpì più volte col pugno.

Il mostro si arrestò, spalancò la bocca posteriore e ingoiò la temeraria.

"Grazie" disse la ragazzina con le trecce.

"Di niente" disse il conducente dell'autobus.

Dentro al dragobruco, l'uomo coi libri sottobraccio stava in piedi vicino al finestrino. Era questa la sua posizione preferita. Non osava guardare gli altri passeggeri seduti perché aveva il terrore che qualche giovane gli cedesse il posto, ritenendolo sufficientemente anziano. L'uomo non era anziano, ma aveva i capelli già un po' grigi e diradati e prima o poi, lo sapeva, gli sarebbe toccato di subire l'onta cortese di un "si sieda, prego", magari da parte della signora col gatto ingabbiato, senza probabilmente aver il coraggio di replicare "scusi, ma cosa le fa pensare che io abbia più anni di lei?"

L'autore

Nato a Bologna nel 1947. Ha pubblicato numerosi romanzi e raccolte di racconti tra cui *Terra!, Comici spaventati guerrieri, Il bar sotto il mare, La compagnia dei Celestini, Saltatempo, Baol, Achille piè veloce, Margherita Dolcevita*. Collabora inoltre a trasmissioni radiofoniche e giornali. Con toni essenzialmente umoristici, critica la nostra società del benessere così corrotta e disattenta verso i più deboli.

Il libro

Ulisse porta il nome dell'eroe dell'Odissea ma non ha nulla di eroico: è uno scrittore che sopravvive a stento correggendo manoscritti in una piccolissima casa editrice. Farà amicizia con Achille, un paralitico che anche lui ha il nome di un eroe greco ma non è certo un "piè veloce", anzi è inchiodato alla sua sedia a rotelle. Insieme combatteranno una battaglia non grandiosa ma quotidiana in un mondo tetro e ostile.

Tra le righe

1. Chi sono gli otto passeggeri che salgono sull'autobus alla fermata?

2. Viene detto chiaramente nel testo che il terribile "dragobruco" visto da Ulisse è un semplice autobus cittadino. A che cosa corrispondono nella realtà i tratti mostruosi che gli attribuisce l'autore?

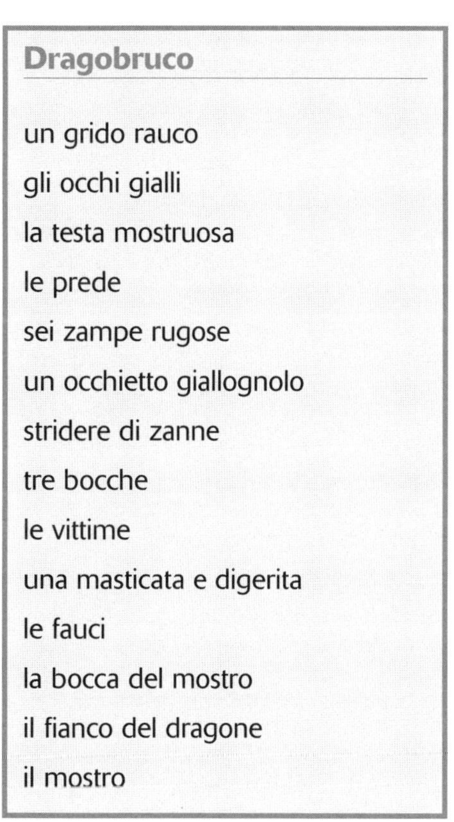

Dragobruco	**Autobus**
un grido rauco	....
gli occhi gialli	....
la testa mostruosa	....
le prede	....
sei zampe rugose	....
un occhietto giallognolo	....
stridere di zanne	....
tre bocche	....
le vittime	....
una masticata e digerita	....
le fauci	....
la bocca del mostro	....
il fianco del dragone	....
il mostro	....

3. È abbastanza evidente che si tratta di una mattina qualsiasi, come tutte le altre. Secondo voi, perché l'autore parla allora di "cometa / demoni / apocalisse"? E perché il normale colore rosso dell'autobus viene definito "rosso sangue"?

....

....

....

4. Completate.

riga 7: la ragazza ha i capelli "papavero" cioè di colore ....

riga 16: l'autobus è di color "rosso sangue" cioè ....

riga 18: un occhietto "giallognolo" cioè ....

righe 35-36: avere i capelli "già un po' grigi" è segno di ....

riga 8: "due zainetti scolastici gonfi come lo stomaco di un pitone sazio"
Perché gli zainetti sono gonfi? Che cosa c'è dentro?

....

5. Nel testo trovate le seguenti parole che si riferiscono a mode degli anni Ottanta/Novanta, già oggi un po' in disuso. Provate a capire di che mode si tratta.

riga 4: "borsello"
riga 7: "capelli puffo"

6. Provate a disegnare la scena due volte, una in modo realistico e una seguendo le indicazioni fantastiche dell'autore.

Parliamo!

1. Fate finta di essere la donna con il collo di volpe / il tailandese / la ragazzina bionda e raccontate la scena descritta nel testo attraverso i loro occhi.

2. In un giorno qualsiasi, state aspettando l'autobus: parlate delle persone che aspettano insieme a voi.

3. Avete l'abitudine di "cedere il posto" sull'autobus? A chi? Perché? Con che parole? Quali reazioni suscitate?

4. Descrivete un temporale autunnale.

Jack Frusciante è uscito dal gruppo
Enrico Brizzi

Intanto, con Aidi, saluti, sorrisi, bigliettini nascosti tra i quaderni e lettere quotidiane. Erano giorni di fogli di macchina da scrivere decorati con il sole o un prato, o il fiore a cinque petali con cui Aidi firmava i suoi messaggi. Tutte cose disegnate a matite colorate. A lei arrivavano fogli di computer scritti fitti, parole un po' allegre e un po' tristi in New York 10 punti; e il vecchio Alex l'immaginava seduta al tavolo di una camera che non aveva mai visto, mentre leggeva: "Se vuoi un amico, addomesticami". "Cosa bisogna fare?" aveva chiesto il piccolo principe. "Bisogna essere molto pazienti", aveva risposto la volpe. "All'inizio ti siederai un po' distante da me, così, tra l'erba. Io ti guarderò con la coda dell'occhio, e tu non dirai niente. Le parole sono fonte di malintesi. Ma giorno dopo giorno, potrai venire a sederti un po' più vicino..." Il giorno seguente il piccolo principe era tornato. "Sarebbe stato meglio tornare alla stessa ora", disse la volpe.

"Se, per esempio, arrivi alle quattro del pomeriggio, io comincerò a essere felice sin dalle tre. Più passerà il tempo e più sarò felice. Quando ormai saranno le quattro, mi agiterò e mi preoccuperò: scoprirò il prezzo della felicità".

E lei e Alex, pur fra i mille tramortimenti esistenziali del caso, erano esattamente felici, anche se il vecchio si sentiva un po' angosciato quando pensava che la loro era soltanto una storia di diciassettenni a orologeria col fottuto timer già puntato sulla partenza di lei per l'America.

Intanto, però, si sentivano spessissimo, e quando si rivedevano erano più felici e più forti. Ogni volta che avevano voglia di vedersi si davano appuntamento in centro, giravano tra le luci dei bar, dei negozi, dei cinema, parlando del piccolo principe e di come liberarsi dai condizionamenti della vita di sempre. (Una volta s'era presentato all'appuntamento prima di lei, e non appena l'aveva vista venirgli incontro, il casco in mano e la sciarpa colorata, non appena l'aveva riconosciuta da lontano, in mezzo alla gente, le era corso incontro cantando senza aprire bocca: si erano abbracciati ridendo, baciati sulle guance fredde.)

Vivevano il loro strano sogno e si raccontavano tutto e camminavano e parlavano e ridevano e camminavano e parlavano contro tutto il già visto proprio come in un lungo sogno, quei matti. E poi, e poi...

E poi, un brutto giorno, le parole, tra loro, erano state fonte di malintesi. Anzi, fonte di un malinteso, uno solo, ma che era la cosa più triste che il vecchio Alex avesse mai provato in tutta la vita.

Un sabato sera freddo gelido, in piazza Maggiore, il vecchio Alex le aveva chiesto di mettersi con lui. Era la cosa più ovvia, a quel punto, no?

Solo che.

Solo che lei gli aveva stretto forte la mano, detto che ci avrebbe pensato su, ma aveva un'ombra triste negli occhi.

Lui era tornato a casa sentendosi soffocare, col presentimento che, per un tempo di cui non riusciva a mettere a fuoco i dettagli, con Aidi non si sarebbe sentito.

L'autore

Nato a Nizza nel 1974, vive a Bologna. Nel 1994, all'età di vent'anni, ha pubblicato il romanzo *Jack Frusciante è uscito dal gruppo* che è subito diventato un libro di "culto" per gli adolescenti per le sue tematiche e per la lingua "giovanile" usata. Ha scritto poi *Bastogne*, *Tre ragazzi immaginari, Nessuno lo saprà,* resoconto di un viaggio a piedi attraverso l'Italia.

Il libro

Il titolo del libro si riferisce a Jack Frusciante, mitico chitarrista dei Red Hot Chili Peppers, che in quel periodo aveva lasciato inaspettatamente la sua band proprio nel momento del successo per poi riunirsi al gruppo anni dopo. La storia si svolge a Bologna: il protagonista, il "vecchio Alex", ha diciassette anni, va a scuola, vive in famiglia, ha amici, ama la musica e incontra il primo amore nella persona della sua coetanea Adelaide, detta Aidi.

Tra le righe

1. Rispondete alle seguenti domande sul testo.

Quanti anni hanno Aidi e il "vecchio" Alex?

Ogni quanto tempo si scrivono?

Con che strumento scrive Aidi le sue lettere?

Che tipo di disegnini fa?

Con che cosa fa i disegnini?

Con che strumento scrive Alex?

Con quale carattere e quale corpo del computer scrive Alex?

Dove si danno appuntamento?

Perché Aidi va agli appuntamenti "con il casco" in mano?

2. Che cosa vuol dire la comunissima espressione colloquiale "mettersi con qualcuno"?

....

3. Cercate a *riga 18* una parola molto colloquiale e piuttosto volgare che vuol dire qui "maledetto, disgraziato".

....

4. A quale delle tre aree semantiche appartengono le parole che seguono?

biglietti • sole • quaderni • bar • negozi • cinema
lettere • macchina da scrivere • fogli • prato • computer
centro • messaggi • fiore • erba • piazza • parole

5. Avete riconosciuto il famoso libro da cui Alex manda citazioni ad Aidi? Scegliete fra i seguenti.

- ☐ *Il principe e il povero* di Oscar Wilde
- ☐ *Il piccolo principe* di Antoine de Saint-Exupéry
- ☐ *Il principe* di Niccolò Machiavelli

6. A che cosa sono riferiti nel testo gli elementi in neretto?

riga 3: **tutte cose** disegnate a matite colorate
riga 5: **l'**immaginava
riga 17: **la loro** era soltanto una storia di diciassettenni
riga 24: l'aveva vista venir**gli** incontro
riga 25: **l'**aveva riconosciuta
riga 31: le parole tra **loro**
riga 32: **uno** solo
riga 37: aveva detto che **ci** avrebbe pensato su

7. Nel testo ci sono alcune parole straniere abitualmente usate in italiano. Dite che cosa significano.

riga 4: computer ....

riga 18: timer ....

Parliamo!

1. Commentate e discutete la frase della volpe: "le parole sono fonte di malintesi". Fornite esempi a sostegno della vostra opinione.

2. Con un compagno di corso, recitate il dialogo fra il "piccolo principe" e la"volpe", leggendolo dal testo oppure – meglio – ricostruendolo a memoria.

3. Con un compagno di corso, improvvisate il dialogo tra Alex e Aidi in cui Alex chiede alla ragazza di "mettersi con lui".

Il ladro di merendine
Andrea Camilleri

1 Erano le tre del dopopranzo e a Montalbano, che non aveva ancora avuto tempo di mangiare, la fame, il pititto, gli stava intorcinando le budella. Andò alla trattoria "San Calogero", s'assittò.

"C'è ancora qualche cosa da mangiare?"

5 "Per vossia, sempre".

E in quel preciso momento s'arricordò di Livia. Gli era completamente passata di mente. Si precipitò al telefono, mentre cercava febbrilmente qualche giustificazione: Livia aveva detto che sarebbe arrivata per l'ora di pranzo. Doveva essere furibonda.

10 "Livia, amore".

"Sono appena arrivata, Salvo. L'aereo è partito con un ritardo di due ore, non ci hanno dato nessuna spiegazione. Sei stato in pensiero, amore mio?".

"Certo che sono stato in pensiero" mentì senza alcun pudore Montalbano visto che il vento gli era a favore." Ho telefonato a casa ogni quarto d'ora e non rispon-15 deva nessuno. Poco fa mi sono deciso a telefonare all'aeroporto di Punta Raisi e mi hanno detto che il volo era arrivato con due ore di ritardo. Così mi sono finalmente tranquillizzato."

"Perdonami, amore, ma non è stata colpa mia. Quando vieni?"

"Livia, purtroppo non posso subito. Sono in piena riunione a Montelusa, mi ci 20 vorrà sicuramente ancora un'ora. Poi mi precipito da te. Ah, senti: stasera siamo a cena dal Questore".

"Ma io non ho portato niente con me!"

"Ci vieni in jeans. Guarda nel forno o in frigo, sicuramente Adelina avrà preparato qualcosa."

25 "Ma no, t'aspetto, mangiamo insieme".

"Io mi sono già arrangiato con un panino. Non ho appetito. A presto."

Tornò a sedersi al tavolo, dove già l'aspettava una mezza chilata di triglie fritte croccanti.

L'autore

Nato nel 1925 a Porto Empedocle, in Sicilia, ha lavorato a lungo come sceneggiatore e regista teatrale e televisivo. Ha esordito come romanziere nel 1978 con *Il corso delle cose*, primo dei suoi romanzi "storici". Ha però ottenuto un travolgente successo di pubblico con i suoi numerosi romanzi gialli tra cui: *La forma dell'acqua, Il cane di terracotta, Il ladro di merendine, La voce del violino,* la raccolta di racconti *Gli arancini di Montalbano*, i recenti *Il giro di boa*, *La pazienza del ragno, La luna di carta.* Questi gialli, in cui il protagonista è sempre il "commissario Montalbano", sono stati tradotti in tutto il mondo e hanno dato origine a una fortunatissima serie di film per la televisione italiana, in cui il commissario è impersonato dall'attore Luca Zingaretti.

Il libro

Il commissario Montalbano, così chiamato in omaggio al giallista spagnolo Vásquez Montalbán, abita a Vigata, "il centro più inventato della Sicilia più tipica", ama la spiaggia e il mare, la cucina locale e l'eterna fidanzata Livia che lavora a Genova e ogni tanto lo va a trovare. La principale caratteristica linguistica di questi romanzi è l'abbondante uso di parole ed espressioni in siciliano che l'autore inserisce con disinvoltura nei testi. Pur non immediatamente comprensibili in tutta Italia, questi inserimenti sono stati accolti con grande favore. Ne *Il ladro di merendine*, il "ladro" del titolo è un bambino che, dopo la morte violenta della madre su cui indaga Montalbano, ruba le merende ai compagni di scuola per saziare la fame.

Tra le righe

1. Quali fra queste frasi pronunciate nel testo da Montalbano sono **bugie**?

	sì	**no**
"certo che sono stato in pensiero"	☐	☐
"sono in piena riunione a Montelusa"	☐	☐
"mi ci vorrà sicuramente ancora un'ora"	☐	☐
"ho telefonato a casa ogni quarto d'ora"	☐	☐
"stasera siamo a cena dal Questore"	☐	☐
"sicuramente Adelina avrà preparato qualcosa"	☐	☐
"io mi sono già arrangiato con un panino"	☐	☐
"non ho appetito"	☐	☐

2. Aiutandovi con il testo e con la somiglianza con l'italiano standard, cercate di capire il significato delle seguenti parole ed espressioni in dialetto siciliano.

riga 2: pititto ....

riga 2: intorcinando le budella ....

riga 3: s'assittò ....

riga 5: vossia ....

riga 6: s'arricordò ....

riga 27: mezza chilata ....

3. Cercate nel testo...

riga 2: come si chiama in italiano un piccolo ristorante a carattere più economico e familiare. ....

riga 3: il nome di un santo tipicamente siciliano. ....

riga 11: un nome proprio maschile molto spesso siciliano. ....

riga 15: il nome dell' aeroporto di Palermo. ....

riga 21: il titolo di un funzionario di polizia di alto grado. ....

4. Nel testo compare più volte un appellativo con cui ci si può rivolgere alla persona amata. Qual è?

....

A *riga 18* cercate un'espressione che si può usare per scusarsi.

....

A *riga 26* cercate un'espressione che si può usare per congedarsi momentaneamente.

....

5. Ricavate dal testo, nelle frasi immediatamente precedente e successiva, il significato delle parole di Livia:

riga 22: "non ho portato niente con me". Che cosa non ha portato con sé?

....

6. Completate e rispondete.

"furibonda" vuol dire molto ....

"frigo" è la frequentissima forma abbreviata di ....

"sei stato in pensiero?" vuol dire: ....

"gli era passata di mente" vuol dire: ....

Che cosa vuol dire la metafora di *riga 14* " il vento gli era a favore"?

....

Parliamo!

1. Un antico proverbio dice: "Regala un cavallo a chi dice sempre la verità, ne avrà bisogno per fuggire". Commentate e discutete.

2. Livia va a fare una passeggiata in paese e vede Montalbano uscire non dalla riunione di lavoro ma dalla trattoria. Insieme con un compagno, improvvisate un dialogo tra i due.

3. Vi è mai capitato di prendere un aereo che ha fatto ritardo? Vi hanno avvertiti in tempo? Voi che cosa avete fatto? Avete telefonato a qualcuno? Come avete passato il tempo all'aeroporto?

4. Conoscete qualche piatto della cucina siciliana? E della cucina italiana in genere? Vi piace mangiare? Quali sono i vostri piatti preferiti? Vi "arrangiate" qualche volta con un panino?

Testimone inconsapevole
Gianrico Carofiglio

Da ragazzo avevo fatto pugilato.

Mi ci aveva portato mio nonno dopo avermi visto tornare a casa con la faccia gonfia per le botte. Le avevo prese da un tipo più grande – e più cattivo – di me.

Avevo quattordici anni, ero magrissimo, con il naso rosso e lucido per l'acne, facevo il quarto ginnasio e avevo la convinzione che la felicità non esistesse. Non per me, almeno.

La palestra era in uno scantinato umido, il maestro era un signore magro sulla settantina, le braccia ancora secche e muscolose, la faccia di Buster Keaton. Era amico di mio nonno.

Mi ricordo precisamente quando entrammo, dopo aver disceso una scala stretta e male illuminata. Nessuno parlava e si sentivano solo i piccoli tonfi sordi dei punching ball. C'era un odore che non sono capace di descrivere, ma lo sento nel naso, adesso che scrivo, e mi dà i brividi.

Che io facessi il pugilato rimase a lungo un segreto per mia madre. Lo seppe solo quando, a diciassette anni e mezzo, vinsi la medaglia d'argento ai campionati regionali juniores, categoria welter.

Il nonno però non riuscì a vedermi su quel podio di truciolato.

Tre mesi prima stava passeggiando in pineta con il suo pastore tedesco, quando si fermò e si sedette con calma su una panchina.

Un ragazzo che era lì vicino disse che qualche istante dopo aveva appoggiato la testa alla spalliera, in modo strano, dopo aver accarezzato il cane.

Il cane dovettero abbatterlo, i carabinieri, prima di potersi avvicinare al corpo di quel signore e identificarlo per Guido Guerrieri, professore ordinario in pensione di storia della filosofia medievale.

Mio nonno.

Vinsi altre medaglie, dopo quei campionati regionali. Anche una di bronzo ai campionati italiani universitari, nei pesi medi.

Non ho mai avuto il pugno pesante, ma avevo imparato bene la tecnica, ero magro e alto, con le braccia più lunghe dei miei pari peso.

Poco prima di laurearmi smisi, perché il pugilato puoi farlo a lungo solo se sei un campione o se hai qualcosa da dimostrare.

Io non ero un campione e mi sembrava di avere dimostrato quello che dovevo dimostrare.

L'autore

Nato a Bari nel 1961. Alla sua professione di magistrato si devono varie pubblicazioni specialistiche. *Testimone inconsapevole* è la sua prima opera narrativa ; in seguito ha pubblicato gli altri romanzi *Ad occhi chiusi* e *Il passato è una terra straniera.*

Il libro

Testimone inconsapevole si svolge a Bari. Un avvocato quarantenne, che qui racconta in prima persona episodi della sua prima giovinezza, assumerà con competenza e passione la difesa di un immigrato senegalese ingiustamente accusato dell' omicidio di un bambino. Il libro è il resoconto del difficile processo in cui le testimonianze sono, appunto, inconsapevolmente viziate dal pregiudizio.

Tra le righe

1. Con parole del testo, riempite queste tabelle relative ai premi per vittorie sportive (**A**) e alle categorie di peso (**B**) e di età (**C**) dei pugili.

A
medaglia d'oro
medaglia ....
medaglia ....

B
mosca
gallo
piuma
leggero
....
....
mediomassimo
massimo

C
....
seniores

2. Cercate nel testo parole riferite al pugilato.

....

....

....

....

3. A che cosa sono riferiti nel testo gli elementi in neretto?

riga 2: mi **ci** aveva portato mio nonno
riga 3: **le** avevo prese
riga 12: ma **lo** sento nel naso
riga 14: **lo** seppe solo
riga 18: tre mesi **prima**
riga 20: un ragazzo che era **lì vicino**
riga 20: qualche istante **dopo**
riga 21: aveva appoggiato la testa alla **spalliera**
riga 21: dopo aver accarezzato **il cane**
riga 23: identificar**lo** per Guido Guerrieri
riga 26: anche **una** di bronzo

4. Accoppiate le seguenti parole del testo con la categoria a cui appartengono.

la **pineta** è ....

il **pastore tedesco** è ....

il **pugilato** è ....

l'**acne** è ....

il **ginnasio** è ....

Buster Keaton è ....

il **truciolato** è ....

la **spalliera** è ....

i **carabinieri** sono ....

> una parte di alcuni mobili • uno sport
> un tipo di scuola • una malattia della pelle
> militari con compiti di polizia
> un materiale • un bosco
> un cane • un attore comico

5. Senza guardare il testo, cercate di ricordare le espressioni sostituite qui dalle parti in neretto.

un **uomo** magro
di circa settant'anni
rimase **per molto tempo** un segreto per mia madre
con le braccia più lunghe **di quelli che avevano il mio stesso peso**

6. Rispondete alle seguenti domande sul testo.

riga 14: "che io facessi il pugilato rimase a lungo un segreto per mia madre"
Perché rimase un segreto?

riga 17: "il nonno però non riuscì a vedermi su quel podio di truciolato"
Perché non riuscì a vederlo?

righe 20-21: "aveva appoggiato la testa alla spalliera, in modo strano"
Perché in modo strano?

riga 22: "il cane dovettero abbatterlo, i carabinieri"
Perché dovettero abbattere il cane?

7. Qual è la professione del signore magro sulla settantina? ....

Qual è la professione del nonno del ragazzo? ....

Parliamo!

1. Insieme con un compagno, improvvisate un dialogo tra nonno e nipote dopo che il ragazzo ha preso le botte.

2. Discutete in gruppo, portando motivazioni a favore e contro il pugilato.

3. Dite quale o quali sport vi appassionano e perché.

4. Commentate e discutete: "Qualche volta i nonni sono più vicini ai ragazzi degli stessi genitori."

5. Parlate delle professioni e lavori che conoscete.

Raffaele Crovi

NOZZE

1 Quando si sposarono, nel sessantasei,
lui e la sua ragazza, lui più vecchio di lei,
durante la festa erano emozionati:
quando nel novantasette si sposarono
5 il figlio e la compagna, lei più vecchia di lui,
i due giovani interpretarono
riti sacri e mondani
disincantati.
In trent'anni erano cambiati
10 tutti i canoni, a cominciare
dalla lista degli invitati
per finire
con le letture della messa.
Ma anche per i nuovi nubendi
15 fu evidente,
mentre raccoglievano,
con gioviale allegria dimessa
abbracci, distribuendo confetti,
che il matrimonio sarebbe stato
20 non solo un album
di foto da incorniciare
ma un arazzo di affetti
da tessere pazientemente,
uno strumento (a fiato)
25 da imparare a suonare.

Raffaele Crovi • Pianeta Terra

L'autore

Nato nel 1934, è produttore editoriale e televisivo e vive fra Milano e Firenze. Ha pubblicato molte raccolte di poesie fra cui *L'elogio del disertore*, *Genesi*, *L'utopia del Natale*, le opere narrative *Carnevale a Milano, Il franco tiratore, La parola ai figli, L'indagine di via Rapallo* e la raccolta di racconti *Amore di domenica*. Ha scritto inoltre la biografia critica *Il lungo viaggio di Vittorini* e recentemente *Il giornailsta involontario*.

Tra le righe

1. In questa poesia le rime sono disposte irregolarmente. Trovate con che cosa fanno rima le parole seguenti.

sessantasei ....

sposarono ....

emozionati ....

messa ....

confetti ....

cominciare ....

2.a A quale delle due coppie di sposi (**V**: i più vecchi o **G**: i più giovani) sono riferiti nel testo i seguenti particolari?

	V	**G**
si sono sposati nel '97	☐	☐
si sono sposati nel '66	☐	☐
lui è più vecchio di lei	☐	☐
lei è più vecchia di lui	☐	☐
lei è chiamata la sua "compagna"	☐	☐
lei è chiamata la sua"ragazza"	☐	☐
gli sposi erano emozionati	☐	☐
gli sposi erano disincantati	☐	☐
gli sposi raccoglievano abbracci	☐	☐
gli sposi distribuivano confetti	☐	☐
sanno che il matrimonio non sono solo foto da incorniciare	☐	☐

b. Quali riti del matrimonio sono cambiati in trent'anni secondo il testo?

....

c. A che cosa è paragonata nel testo la vita matrimoniale?

....

3. A *riga 7* trovate "riti sacri e mondani". Cercate nel testo:

un rito sacro ....

un rito mondano ....

4. Che cosa sono "le letture della messa"?

....

Che cosa sono "i confetti"?

....

5. Rispondete e completate.

titolo: "nozze": trovate nel testo una parola con lo stesso significato. ....

riga 14: "nubendi": è una parola arcaica e poetica per indicare... ....

riga 20: "album": questa parola comunissima è in realtà una parola in lingua... ....

riga 21: "foto": è l'abbreviazione, comunemente usata, della parola... ....

riga 21: la parola "foto" che finisce in **-o** è maschile o femminile? ....

riga 21: "in**cornic**iare" vuol dire "mettere in ...."

Parliamo!

1. Raccontate di un matrimonio cui avete assistito: la cerimonia, la festa, gli invitati, i vestiti, i regali etc.

2. Insieme a un vostro compagno o compagna, fingete di essere promessi sposi e discutete i preparativi per il prossimo matrimonio, possibilmente litigando su tutto.

3. Parlate della vostra concezione della vita matrimoniale.

Pura vita
Andrea De Carlo

E prima ancora che riesca a distinguere qualcosa nell'oscurità della notte dove la neve non riflette nessuna luce di luna, sente una forma viva pesante e ansimante ma più bassa di come si immaginava che gli urta contro le gambe e gli gira intorno e uggiola e passa oltre e torna indietro. Resta con il coltellino in mano e il cuore gli batte tra impulsi e sensazioni contrastanti, poi sente che la forma viva entra nella stalla e la segue e al bagliore intermittente del fuoco quasi spento vede che è un grosso cane marrone chiaro.

Sua figlia lo vede nello stesso momento, perché quando lui si gira verso il semifuoristrada è già scesa e viene avanti incredula con le braccia tese, dice "Eeeehi!".

Il cane corre verso di lei e le salta addosso e uggiola e torna indietro di corsa fino a lui, gira frenetico per tutta la stalla. Appena riescono a scrollarsi di dosso lo stupore e a guardarlo meglio vicino al fuoco vedono che è una femmina giovane, con grandi zampe e una struttura che sembra risultare dall'incrocio di un molosso con un levriero, ha il pelo bagnato dalla pioggia e dalla neve, trema e guaisce e non sta ferma un attimo.

"Ha fame" dice sua figlia. "Diamole qualcosa da mangiare!". Ha le guance arrossate e gli occhi che le brillano, ride mentre la grossa cagna le lecca le mani e la faccia.

Lui va a prendere i pezzi di crosta del formaggio di capra che aveva messo in un sacchetto. La cagna li divora a colpi rapidi di muso: in un istante non c'è più niente, sta annusando tutto intorno in cerca d'altro.

"Non abbiamo più niente" dice sua figlia.

"Meglio così, altrimenti non ce la togliamo più di torno."

"Come? Io me la tengo."

"Non ti sembra che siamo già in una situazione abbastanza difficile?"

"L'hai detto tu, che non siamo noi a decidere tutto. Questo è un caso tipico."

"Rimandiamola fuori, per piacere."

"No."

"Cerca di ragionare. Domani non ce ne liberiamo più."

"Meglio."

"Rimandiamola fuori."

"Allora vado fuori anch'io. Dormo nella neve e nel fango."

"Oh madonna, che testa hai."

"Adesso la asciugo, poverina. Prendo una mia maglietta."

"Senti, se vuoi farla dormire al riparo per stanotte, va bene. Però domattina la lasciamo qui."

"Io me la tengo."

"Ne riparliamo domattina."

"Me la tengo."

"Ne riparliamo domattina, va bene?"

"Va bene."

"Adesso cerchiamo di dormire almeno qualche ora."

"Appena ho finito di asciugarla."

L'autore

Nato a Milano nel 1952, ha vissuto a lungo negli Stati Uniti e in Australia. Ha fatto il fotografo e ha lavorato per il cinema. Ha avuto immediato successo il suo libro di esordio, *Treno di panna*, del 1981. Ha poi pubblicato numerosi altri romanzi fra i quali *Uccelli da gabbia e da voliera, Macno, Due di due* e *Tecniche di seduzione*, in cui racconta la città di Roma e i personaggi di ogni tipo che la affollano. Tra le sue ultime opere ci sono *Pura vita* e *Giro di vento.*

Il libro

Un padre, che vive separato dalla sua famiglia, cerca di costruire un rapporto solido con la figlia adolescente. Le propone di fare un breve viaggio in macchina per imparare a parlare insieme ma un piccolo incidente li costringe a una sosta d'emergenza.

Tra le righe

1. Il testo è in gran parte un dialogo a due. Rispondete alle seguenti domande.

chi sono le due persone? ....

dove si trovano? ....

è giorno o notte? ....

fa caldo o freddo? ....

di chi o di che cosa parlano? ....

che cosa vuole fare lui? ....

che cosa vuole fare lei? ....

2.a Rispondete alle seguenti domande sul "cane".

è un maschio o una femmina? ....

è giovane o vecchio? ....

è grande o piccolo? ....

è un cane di razza o un incrocio? ....

di che colore è? ....

b. Cercate nel testo come si chiama in italiano la femmina di un cane

....

c. Cercate nel testo i nomi di due razze canine

....

d. Cercate nel testo due verbi relativi ai lamenti di un cane

....

3. Dividete in tre gruppi le seguenti parole del testo che indicano parti del corpo.

gambe • cuore • zampe • guance • occhi • mani • faccia • muso • pelo • testa

riferite solo a esseri umani:	riferite a esseri umani e animali:	riferite solo ad animali:

4. Senza guardare il testo, cercate di ricordare le espressioni sostituite qui dalle parti in neretto.

prima che riesca a distinguere qualcosa **nel buio** della notte
alla luce intermittente del fuoco quasi spento
appena riescono a **liberarsi dello** stupore
trema e guaisce e **si muove in continuazione**
altrimenti non **ce ne liberiamo più**

5. Completate.

coltell**ino**, è un "coltello ...."

incredula, vuol dire "che ...."

sacch**etto**, vuol dire "un sacco molto ...."

magl**ietta**, vuol dire "una maglia ...."

rimandiamola, vuol dire "mandiamola ...."

riparliamo, vuol dire "parliamo ...."

Parliamo!

1. Parlate di un cane che avete o avete avuto voi o qualcuno che conoscete.

2. Discutete delle virtù dei cani con un compagno che invece preferisce i gatti.

3. Il cane è chiamato "il miglior amico dell'uomo". È vero, secondo voi, che l'amicizia dei cani è meglio di quella degli umani? Se potete, fate qualche citazione letteraria.

4. Discutete dei rapporti esistenti tra padri e figli adolescenti.

Gianni D'Elia

POLITICA DEL BOIA

1 È il popolo che vuole
la pena, l'elettore.
Non basta all'animale
la morte naturale.

5 Democrazia bella forte
delle camere della morte.
Civile barbarie, vendetta
della morte per storia.

Delitto e vergogna
10 a futura memoria.
È contro la morte
chi è contro la pena.

È per la pena
chi è per la morte.
15 La nostra, nel cuore,
ogni volta che muore
ucciso, legalmente,
messo a morte, ingiustamente,
un essere vivente,
20 colpevole o innocente.

In nome del popolo, della gente.
Ferocemente, inutilmente.
Mostruosamente, disumanamente.

Bandirla. Ovunque.
25 Subito. Per sempre.

L'autore

Gianni D'Elia, nato a Pesaro nel 1953, è insegnante, traduttore, critico e promotore di una rivista letteraria ma soprattutto poeta. Ha pubblicato varie raccolte di liriche: *Non per chi va, Febbraio, Segreta, Notte privata, Congedo dalla vecchia Olivetti, Sulla riva dell'epoca* e alcune opere narrative. *Politica del boia* è tratta dalla raccolta antologica "Baci ardenti di vita" a cura di M. Minniti e M. Di Pace.

Tra le righe

1. In questa poesia le rime sono disposte irregolarmente. Dite con che cosa fanno rima le seguenti parole:

riga 3 animale ....

riga 5 forte ....

riga 8 storia ....

riga 15 cuore ....

riga 17 legalmente ....

....

....

2. A che cosa sono riferiti nel testo gli elementi in neretto?

righe 2, 12, 13: **la pena**
riga 15: **la nostra**
riga 24: bandir**la**

Che cosa è sottinteso prima della parola "bandirla" (*riga 24*)?

....

3. L'"ironia" consiste nel dire una cosa che è il contrario di quello che si vuol far capire. Cercate nel testo due versi evidentemente ironici.

....

....

4. L' "ossimoro" è una figura retorica in cui vengono accostate due parole apparentemente contrapposte. Quale fra le seguenti coppie di parole del testo è un ossimoro?

☐ morte naturale ☐ civile barbarie ☐ essere vivente

5. Rispondete.

titolo: "boia" vuol dire "chi esegue la pena capitale", questo nome in -**a** è maschile o femminile? ....

riga 24: "bandirla"; "bandire" qui vuol dire

☐ pubblicare, notificare
☐ mettere al bando, eliminare

riga 24: "ovunque" è una parola un po' arcaica e poetica per dire: ....

6. Cercate nel testo gli avverbi formati con il suffisso **-mente**.

....

....

....

Dite ora da quali aggettivi sono formati.

avverbi		aggettivi
....		....
....		....
....	⇨	....
....		....
....		....
....		....

Parliamo!

1. Preparate un discorso completo contro o a favore della pena di morte, come se lo doveste esporre di fronte a un pubblico.

2. Al di là delle vostre convinzioni personali, attivate un dibattito con un compagno in cui uno è a favore e l'altro è contro la pena di morte.

3. Fate ed esponete una ricerca su quanti paesi nel mondo ancora adottano la pena di morte, con quali modalità, per quali crimini, etc.

Aceto, arcobaleno

Erri De Luca

La tua più strana specialità era l'enigmistica. Più che un'abilità era un virtuosismo che ti permetteva di risolvere velocemente i più ingegnosi quesiti. Mi introducesti alle meraviglie delle crittografie mnemoniche come quella formata dalla sola parola "cucchiaino": da essa doveva scaturire per logica e analogia una frase intera. La soluzione era: mezzo minuto di raccoglimento. "Come?" ti chiesi. "Certo: un cucchiaino è un mezzo di raccoglimento piccolo, minuto." Ricordo anche quell'altra crittografia per me ancora più affascinante perché palindroma, frase leggibile anche dall'ultima lettera verso la prima. Il testo era: Tirreno e Adriatico; la soluzione era: ai lati d'Italia.

D'estate eri invocato sotto gli ombrelloni a cavare d'impaccio signore e oziosi affondati in un rebus, in un cruciverba vuoto. Come riuscivi in questo, ti chiesi. Rispondesti per gioco: "Le parole sono di facili costumi, è semplice avviarle alla sostituzione. Hanno varietà di significato in poco spazio di lettere, bastano pochi ritocchi, giusto un invito e si concedono a tutte le varianti, ai giochi. È come se io potessi leggere le combinazioni possibili. Quello che succede a un matematico con i numeri o a uno scacchista con i pezzi, a me succede con le parole."

Così un cartello "è pericoloso sporgersi" venne fatto trovare sullo specchio del bagno degli insegnanti con la lieve modifica: "È pericoloso scorgersi."

Nella tua casa sui quartieri vecchi c'era un silenzio viziato di finestre chiuse e librerie sovraccariche. Si era accolti dall'odore di quel sapone giallo che una volta si vendeva a taglio. Era un piccolo appartamento che dividevi con tuo padre che insegnava al liceo storia e filosofia. Tua madre morta nel metterti al mondo aveva lasciato il deserto nel cuore del marito. Fu per lui un punto d'onore non farti pesare la sostituzione. Era stato premuroso con te, pronto a tutto, ma non affettuoso. Nella tua abilità di enigmista chissà quante volte eri andato su e giù tra figlio e moglie, parole comunicanti tramite due soli passaggi: figlio-foglio-foglie-moglie.

Nella tua camera in fondo a uno stretto corridoio di mattonelle sconnesse, si ammucchiavano varie anticaglie. Rivedo piccoli busti in gesso di personaggi antichi, quadri con animali, frutti di marmo, solidi geometrici. Su un tavolo ingombro di carte c'erano dei dadi, un grosso amo, una galleria, residuo di un trenino elettrico. A quel tempo non avrei saputo intenderlo, ma ora che osservo di nuovo quell'ambiente capisco che era costituito dall'arredamento sciatto e obbligato dei rebus. C'era di sicuro una chiave che risolveva in frase quella stanza. Forse è così per ogni casa.

In classe un giorno mi mandasti un biglietto. C'era scritto: e domandavi esca (anagramma a frase: 2, 2, 4, 2, 4). Impiegai la giornata a risolverlo: me ne vado di casa.

L'autore

Nato a Napoli nel 1950. Dopo una fase di intenso lavoro politico, ha lavorato come muratore. Ha imparato da solo l'ebraico e ha pubblicato commenti di esegesi biblica. La sua opera di scrittore, alla sofferta ricerca di valori assoluti, comprende tra l'altro *Non ora, non qui, Una nuvola come un tappeto, Aceto, arcobaleno*, i racconti di *In alto a sinistra, Alzaia, Montedidio* e *Morso di luna nuova*.

Il libro

In *Aceto, arcobaleno* il narratore si rivolge a un amico a cui è legato dai tempi della scuola. L'uomo, molto intelligente e affascinante ma triste fin da un'infanzia senza affetti, si lascerà sedurre dalle lusinghe del terrorismo e farà una tragicissima fine. Il titolo deriva dall'elenco di parole in ordine alfabetico ma senza contesto che il padre fa imparare a memoria al figlio nel tentativo di insegnargli il francese.

Tra le righe

1. *righe 3-5:* crittografia mnemonica

quesito:
cucchiaino

soluzione nel testo: mezzo minuto di raccoglimento

Quali sono i due significati di questa frase?

Il primo è spiegato nel testo: il sostantivo "mezzo" (strumento), l'aggettivo "minuto" (piccolissimo) di raccoglimento (usato per raccogliere qualcosa)

Il secondo interpreta "mezzo" come aggettivo quindi ....

"minuto" come sostantivo, quindi ....

"di raccoglimento" nel significato di ....

2. *righe 7-9:* crittografia palindroma (che si può leggere anche al contrario)

quesito:

Tirreno Adriatico

Il Tirreno e l'Adriatico sono i nomi di due mari. Dove si trovano?

....

....

....

Mar Ligure
Mar Adriatico
Mar Tirreno
Mar Ionio
Mar Mediterraneo

Ricopiate la soluzione dal testo:

....

....

....

Leggete ora la frase lettera per lettera cominciando da destra e poi scrivetela qui.

....

3. *riga 32:* Quale di questi due giochi enigmistici è "un rebus"? ....

Quale di questi due giochi enigmistici è "un cruciverba vuoto"? ....

a.

1

b.

4. *riga 12:* "le parole sono di facili costumi".

L'espressione "di facili costumi" non è abitualmente riferita alle "parole" ma a chi?

....

Seguono quindi due giochi di parole. Come possiamo leggere le espressioni:

"è semplice avviarle alla **sostituzione**"?

"è semplice avviarle alla ...."

"basta un invito e si concedono **a tutte le varianti**"?

"basta un invito e si concedono a ....".

5. *riga 17:*

quesito:
è pericoloso sporgersi

È una frase comune che avverte, ad esempio, i viaggiatori su un treno del possibile pericolo di sporgere la testa dal finestrino.

Cambiando una sola lettera diventa: ....

"Scorgersi" vuol dire ....

Perché è pericoloso "scorgersi"? (Ricordate che il cartello viene esposto dagli studenti sullo "specchio" del bagno riservato agli "insegnanti").

....

6. *riga 25:*

quesito:
figlio e moglie

Copiate dal testo le due parole con cui si passa da "figlio" a "moglie".

....

Attraverso quale meccanismo sono avvenuti questi due passaggi?

....

7. *riga 33:*

rebus
Quali oggetti si trovano nella camera dell'amico?

....
....
....
....

Che cosa ricordano questi oggetti allo scrittore?

....

8. *riga 34:* anagramma a frase

quesito:
e domandavi esca
Che cosa indicano i numeri 2,2,4,2,4? ....

Copiate la soluzione dal testo e controllate se tutte le lettere del quesito compaiono nella soluzione.

....

9. A che cosa sono riferiti nel testo gli elementi qui in neretto?

riga 4: **da essa** doveva scaturire... una frase intera
riga 11: come riuscivi in **questo**, ti chiesi
riga 12: è semplice avviar**le** alla sostituzione
riga 23: fu per **lui** un punto d'onore non farti pesare
riga 35: impiegai la giornata a risolver**lo**

10. Senza guardare il testo, provate a ricordare le espressioni qui sostituite dalle parti in neretto.

da essa doveva **venir fuori** una frase intera
eri invocato **ad aiutare** signore e oziosi
venne fatto trovare nel bagno degli insegnanti con la **leggera** modifica
un silenzio viziato di finestre chiuse e librerie **troppo piene**
nella tua camera si ammucchiavano varie **cose vecchie e di nessun valore**
a quel tempo non avrei saputo **capirlo**

Parliamo!

1. Avete personalmente l'abitudine di risolvere giochi enigmistici? Quanto tempo dedicate a questa occupazione? In quali circostanze? Quali di questi giochi preferite? Perché?

2. Le numerose pubblicazioni anche settimanali testimoniano del successo che ha l'enigmistica presso un vasto settore di pubblico. Commentate.

3. Provate a risolvere collettivamente in classe un gioco di parole crociate in italiano.

4. Descrivete nei dettagli tutti i soprammobili di una casa che conoscete bene.

(figlia e serva)

Palmira? Una santa. Guardate che si è presa una bella faccenda per le mani. Con la vecchia da badare. Non è mica facile! E vabbene che è entrata da figlia in quella casa, che non aveva nemmeno dieci anni... Facevano Canepa, erano gente della Nurra: non è che se ne sappia più di tanto... Comunque Canepa Palmira c'aveva una barca di fratelli e in casa sua non c'era abbastanza per nutrirli tutti, così se l'è presa la vecchia Marongiu.

Sono parenti alla lontana. Il padre di Palmira era cugino di secondo grado della vecchia.

Così si sono messi una mano sul cuore e si sono detti: ci prendiamo la grandetta che a sbrigare le cose ci può essere utile. Come figlia femmina, insomma, che da Marongiu il calzolaio c'erano solo figli maschi.

In verità c'era chi diceva che non si erano presi una figlia femmina, ma una terracchedda, che Palmira anche se era ancora una bambina come massaia non aveva confronti: pulita, svelta nelle faccende, silenziosa. Praticamente Raffaele l'ha allevato lei, mica la madre, perché la vecchia Marongiu è sempre stata un caratterino difficile, specialmente dopo la morte del marito.

Una donna un po' viziata, dal marito innanzi tutto. Quando era vivo, s'intende. Ma più per evitarsi problemi che per amore. Del resto gli uomini fanno così. Ti lasciano fare la regina e imperatrice, rinunciano volentieri al comando, ma solo per farsi gli affaracci loro.

Insomma la vecchia Marongiu aveva vinto un terno al lotto, c'aveva il comando e anche la serva... Ecco l'ho detto anch'io questa volta, tanto per non stare a girarci troppo intorno. Quando una cosa va detta, va detta: Palmira l'ospitalità se la stava pagando salata.

Lei per i ragazzi di casa aveva un amore che nemmeno una sorella vera. Con Ettore guai a toccarlo, con Michele sembrava meno espansiva, ma era perché lui in casa ci stava poco e niente; Raffaele, come ho detto, l'ha praticamente allevato lei.

E poi c'aveva questa cosa che stava sempre zitta, non c'era verso che le venisse in mente di dire una parola. Quando le chiedevano un parere su questo o su quello, su questa o quest'altra cosa, lei alzava le spalle.

L'autore

Nato a Nuoro, in Sardegna, nel 1960. Scrittore e autore teatrale, i suoi numerosi romanzi, spesso "gialli" e quasi sempre ambientati in Sardegna, sono ricchi di connotazioni tipiche di quest'isola. Ha pubblicato fra l'altro: *Ferro recente, Falso gotico nuorese, Meglio morto, Picta*, che ha vinto il premio Italo Calvino, *Il silenzio abitato dalle case* e, tra quelli più recenti, *Sempre caro, Gap, Sangue dal cielo* e *Dura madre*.

Il libro

Anche *Dura madre* si svolge in Sardegna: racconta una storia familiare arcaica e forte in cui la tragedia finale ha origine in antiche e crudeli vicende che hanno visto come protagonista la "dura" madre che dà il titolo al libro. Questo titolo gioca sul significato anatomico di "duramadre", che è una delle membrane del cervello.

Tra le righe

1. Rispondete alle seguenti domande sul testo.

Chi erano i componenti della famiglia Marongiu?
Che mestiere faceva il padre?
Che rapporti c'erano fra la famiglia Canepa e la famiglia Marongiu?
Quanti anni aveva Palmira quando è entrata in casa Marongiu?
Palmira era più grande o più piccola dei suoi fratelli?
Perché i Canepa hanno mandato Palmira in casa Marongiu?
Perché i Marongiu hanno preso Palmira in casa?
Quale elemento del cognome Marongiu ci fa capire che è un cognome sardo?

2.a La lingua di questo testo è molto colloquiale. Cercate di ricordare come vi sono espresse le parole e le espressioni qui in neretto.

riga 2: **è vero** che è entrata da figlia
riga 3: **si chiamavano** Canepa, erano gente della Nurra
riga 5: Palmira c'aveva **moltissimi** fratelli
riga 10: **a fare i lavori di casa** ci può essere utile
riga 10: **perché** da Marongiu... c'erano solo figli maschi
riga 15: **non certo** la madre
riga 20: per **fare quello che volevano**
riga 21: aveva **avuto una grandissima fortuna**
riga 23: se la stava pagando **cara**
riga 27: in casa ci stava **pochissimo**

b. Anche queste frasi sono piuttosto colloquiali. Provate a riscriverle secondo l'ordine più consueto.

righe 25-26: con Ettore guai a toccarlo

....

riga 27: Raffaele l'ha praticamente allevato lei

....

righe 23-24: Palmira l'ospitalità se la stava pagando salata

....

righe 26-27: lui in casa ci stava poco e niente

....

3. Completate.

riga 1: "una santa"; l'autore non vuol dire che Palmira era una santa

ma solo che era ....

riga 9: "si sono messi una mano sul cuore"; nessuno si è messo una mano sul

cuore, vuol dire solo che ....

4. Rispondete.

riga 30: "lei alzava le spalle"; in segno di che cosa?

....

Quale di queste immagini descrive il gesto citato sopra? ....

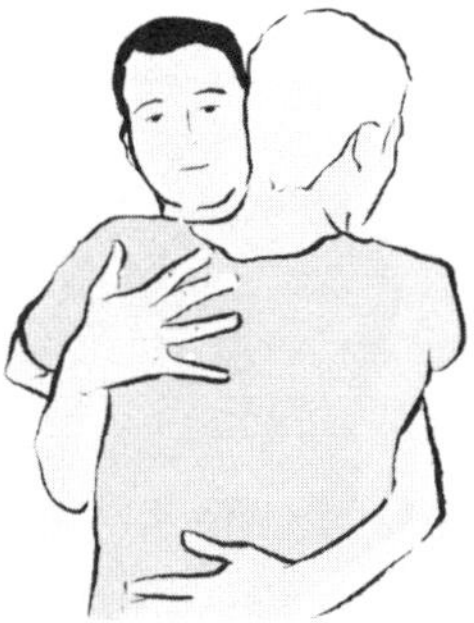

a. 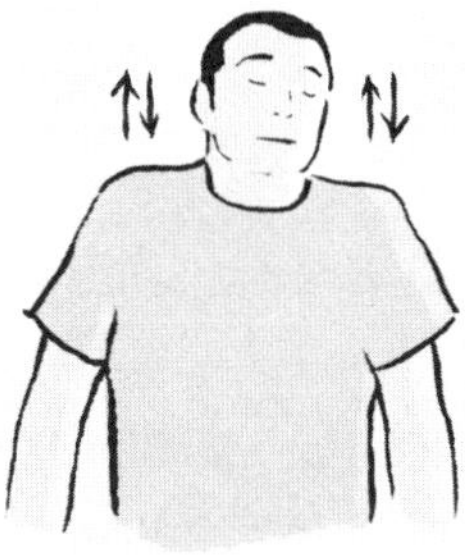 b. 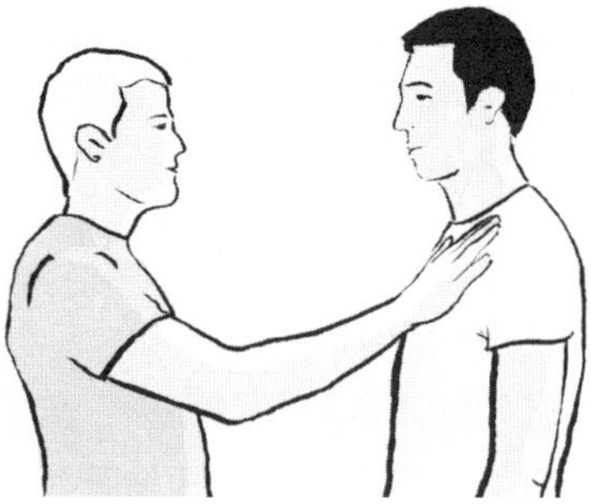 c.

5. Rispondete.

riga 12: "terracchedda" è il diminutivo di "terracca", parola della lingua regionale sarda che è molto diversa dall'italiano standard. Ricavate dal testo che cosa vuol dire.

....

6.a A che cosa sono riferiti nel testo gli elementi in neretto?

riga 4: non è che se **ne** sappia più di tanto
riga 5: per nutrir**li** tutti
riga 5: se **l'**è presa
riga 10: a sbrigare le cose **ci** può essere utile
riga 17: **una donna** un po' viziata
riga 18: gli uomini **fanno così**
riga 22: **l'**ho detto anch'io
riga 22: per non stare a girar**ci** troppo intorno
riga 26: ma **era** perché lui in casa ci stava poco o niente
riga 29: quando **le** chiedevano un parere

b. Che cosa è sottinteso nelle frasi seguenti?

riga 9: .... come figlia femmina

riga 25: lei per i ragazzi aveva un amore che .... nemmeno una sorella vera.

7. L'ironia consiste nel dire l'opposto di quello che si vuol far capire.

Che cosa significa l'espressione di riga 1 "una **bella** faccenda"?
Che cosa significa l'espressione di *riga 15* "è sempre stata un caratter**ino**"?

Parliamo!

1. Dite tutto quello che sapete sulla Sardegna. Se sapete poco o niente, fate una piccola ricerca.

2. Commentate il testo quando dice che gli uomini lasciano alle donne il comando in casa solo per essere liberi di fare quello che vogliono.

3. Palmira ha cominciato a lavorare, senza nemmeno essere pagata, a meno di dieci anni. Qual è la situazione oggi del lavoro minorile nel vostro paese e nel mondo?

– Da dove vieni, Gabèn?

Mi racconta che era l'ultimo di sessanta fratelli ed è dovuto andare via dalla sua terra, sua madre glielo ha ordinato con le lacrime agli occhi, che ha traversato il deserto del Sahara con una carovana di nomadi, e s'è sposato con la figlia del capo, una ragazza velata di cui non ha mai visto il volto. "Inventatelo, amore mio", lei mormorava. Così Gabèn la immaginava bionda o mora secondo il suo sentimento, vaga come una nuvola o con una profonda ferita rossa in mezzo al viso. Una notte pensò che avesse il volto di una iena cieca e scappò via spaventato. Camminò due giorni fra le dune fino a incontrare un piccolo porto sul Mediterraneo: lì s'imbarcò su una nave di pescatori marocchini, tutti con una rosa tatuata sulla schiena, perché, dicevano, "la bellezza noi la lasciamo per sempre alle spalle". Il comandante beveva l'acqua del mare e mangiava i pesci vivi. Ogni tanto assalivano uno yacht e lo depredavano. Ne trovavano anche di abbandonati. Poi dormivano per due giorni, lasciando che le correnti portassero la nave dove capitava. "Dev'essere il caso a decidere la vita", diceva il comandante. Così sono naufragati sulle coste della Sicilia occidentale. Gabèn è arrivato a piedi a Messina, mangiando un'arancia al giorno per cinque settimane, poi ha superato lo stretto a nuoto in una bella giornata di maggio. Passavano transatlantici grandi come città. Per due anni ha lavorato nei campi, con i muli e mille lire di paga, spostandosi ogni mese più a nord, fino a quando non ha visto il cartello Roma e gli ha ballato attorno per mezz'ora.

– Naturalmente non è tutto verissimo, un po' mi confondo, – confessò alla fine Gabèn, con gli occhi furbi che sorridono, e naturalmente io già lo sapevo, ma mi diverte lo stesso sentire quante storie riesce a congegnare, quanto è bugiardo. Una notte che aveva bevuto un secondo litro mi ha detto che è arrivato a Genova dentro a un container, schiacciato in una folla di altri negri, tutti che cacavano e pisciavano e piangevano a bocca chiusa in quel buio tremendo, con la paura di essere scoperti o, peggio, che nessuno più venisse a liberarli da quella scatola bollente. Credo che questo sia più vicino alla realtà, ma certo la realtà fa proprio schifo.

L'autore

Nato a Roma nel 1956. Insegna lettere in una scuola media di periferia. Nelle sue opere narrative, tra cui ricordiamo *Diario di un millennio che fugge, Snack bar Budapest, I fannulloni, Crampi, Cani e lupi, Fiori, La notte*, Lodoli osserva gli aspetti irregolari della metropoli moderna e di Roma in particolare. La recente raccolta di suoi articoli pubblicati su giornali si intitola appunto *Isole - Guida vagabonda di Roma*.

Il libro

Nel lungo racconto *I fannulloni*, Lorenzo è vecchio e stanco. Solo il suo incontro con il giovane immigrato africano Gabèn, pur nelle fallimentari imprese in cui saranno soci, darà vitalità ai suoi ultimi anni. I "fannulloni" del titolo sono i frequentatori di un locale notturno romano che finiranno con l'accompagnare Lorenzo alla sua morte.

Tra le righe

1. Seguite il percorso di Gabèn in Italia secondo la sua narrazione fantastica.

dove è naufragato? ....

dove è arrivato a piedi? ....

che cosa ha attraversato a nuoto? ....

in che città è arrivato alla fine? ....

In che città è invece arrivato
secondo la narrazione più probabile? ....

Tracciate sulla cartina il percorso fantastico e poi tratteggiate quello più probabile.

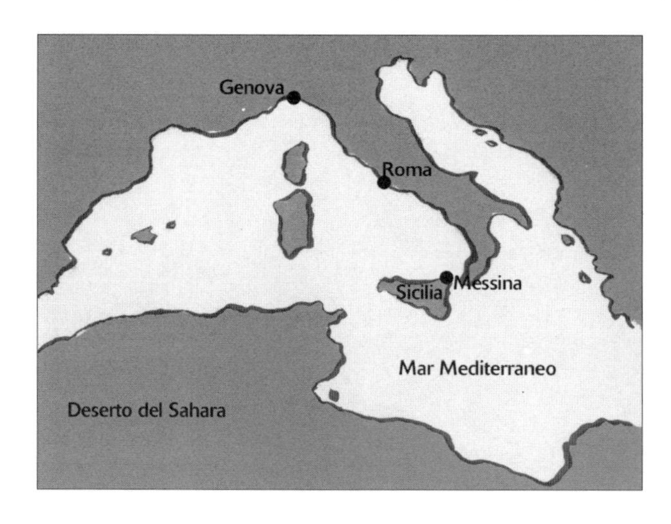

2. A che cosa corrispondono nel testo gli elementi in neretto?

riga 3: **glielo** ha ordinato
riga 5: inventate**lo**, amore mio"
riga 6: Gabèn **la** immaginava bionda o mora
riga 9: **lì** si imbarcò su una nave
riga 12: **lo** depredavano
riga 13: **ne** trovavano anche di abbandonati
riga 20: **gli** ha ballato attorno per mezz'ora
riga 22: io già **lo** sapevo
riga 27: nessuno più venisse a liberar**li**
riga 27: da **quella scatola bollente**

3. Rispondete alle seguenti domande.

riga 3: "con le lacrime agli occhi": che cosa vuol dire?
Perché la madre "aveva le lacrime agli occhi"?

riga 20: "gli ha ballato intorno per mezz'ora": perché ha ballato?

riga 24: "aveva bevuto un secondo litro": un secondo litro di che cosa?

4. Senza guardare il testo, cercate di ricordare i seguenti paragoni.

La immaginava vaga come ....

Passavano transatlantici grandi come ....

5. Cercate nel testo le molte parole che si riferiscono al mare.

Il mare

6. Nel testo trovate alcune parole straniere abitualmente usate in italiano. Che cosa vogliono dire?

riga 12: yacht ....

riga 25: container ....

Parliamo!

1. Dite se a vostro parere ognuna di queste affermazioni di Gabèn è:
I: impossibile, **PP:** poco probabile, **V:** verosimile. Discutete poi le vostre scelte con i compagni di corso.

	I	PP	V
Era l'ultimo di sessanta fratelli.	☐	☐	☐
Sua madre glielo ha ordinato.	☐	☐	☐
Ha traversato il deserto del Sahara con una carovana di nomadi.	☐	☐	☐
S'è sposato con la figlia del capo.	☐	☐	☐
Il comandante beveva l'acqua del mare.	☐	☐	☐
È arrivato a piedi a Messina.	☐	☐	☐
Mangiando un'arancia al giorno per cinque settimane.	☐	☐	☐
Passavano transatlantici grandi come città.	☐	☐	☐
Per due anni ha lavorato nei campi.	☐	☐	☐

2. Commentate e discutete la frase del comandante: "deve essere il caso a decidere la vita".

3. Riferite o immaginate le avventure e le difficoltà di chi è immigrato in un paese straniero.

4. Commentate e discutete le parole finali del testo: "ma certo la realtà fa proprio schifo".

Il giorno del lupo
Carlo Lucarelli

«Sabato sera - Settimanale del Comprensorio Imolese»
SANGUE IN AUTOSTRADA
(Servizio di Carlo Lucarelli alle pp. 21-22)

1 **Castel San Pietro** – Gli ho fatto lo scontrino per tre camogli e tre birre in lattina e poi l'ho sentito che litigava col barista perché i panini non erano caldi. Era un cliente come tanti, senza niente di speciale, davvero.

All'autogrill dell'area di servizio Sillaro, direzione Imola-Bologna, le testimo-
5 nianze concordano: Pietro Giaccalone, 42 anni, originario di Catania, era un tipo comune, senza nulla di speciale. Allora perché è successo quello che è successo?

– Si è avvicinato a una macchina che stava ferma accanto alla cabina del telefono. C'era un altro uomo dentro, con la radio accesa, alta... e siccome stavo telefonando gli ho chiesto di abbassarla ma lui mi ha fatto un gestaccio, così...

10 Il secondo testimone, che preferisce non dire il proprio nome, mette la mano sull'incavo del gomito, piegando il braccio. Un gesto notato anche dalla moglie, seduta sul muretto davanti all'autogrill: – Mi ricordo che stavo pensando: ma guarda che razza di maleducato, quando mi è passato davanti quel tipo, quello col cappotto marrone. L'ho notato perché un cappotto, di questa stagione... e poi mi si era messo
15 proprio davanti, tra me e la macchina di quei due ignoranti...

Neppure il terzo testimone vuole lasciare le proprie generalità. Visibilmente scosso, parla in fretta prima di allontanarsi con un funzionario di polizia. – No, io non mi ero accorto di nulla e mi ci sarei trovato in mezzo se non fosse stato per Enrico che ha detto: papà, ma quello non è un fucile? Infatti, c'era uno col cappotto,
20 un tipo alto, naso a becco e una gran coda di capelli, che aveva in mano un fucile a pompa. Non faccio in tempo ad alzare la testa che BUM-BUM!, due botte sul parabrezza della macchina davanti. Sono scoppiati tutti i vetri e uno dei due che stava dentro è volato mezzo fuori dal finestrino aperto... madonna che impressione! Non mi ci faccia pensare...

25 Giaccalone era noto alle forze dell'ordine per numerosi precedenti specifici relativi al traffico di stupefacenti. L'altro uomo, Arturo Lanfranco, 33 anni, di Bologna, risulta invece incensurato. Gli inquirenti non ritengono invece degna di considerazione la dichiarazione di Enrico, il figlio undicenne dell'ultimo testimone, che dice di aver visto un terzo uomo che sostava nei pressi della macchina colpita,
30 salire di corsa su un TIR fermo nell'area di parcheggio e partire immediatamente.

L'autore

Nato a Parma nel 1960, vive in provincia di Bologna. Scrittore essenzialmente di gialli, tra i suoi numerosi romanzi pubblicati: *Carta bianca, L'estate torbida, Almost blue, L'isola dell'Angelo caduto, Compagni di sangue, Febbre gialla*. Autore di successo, quasi tutti i suoi romanzi sono stati tradotti in varie lingue. Per la televisione, Lucarelli ha condotto il popolare programma *Mistero in blu*.

Il libro

Il giorno del lupo è ambientato a Bologna, città che l'autore conosce bene. Il suo sottotitolo è *Una storia dell'ispettore Coliandro*: è infatti un'inchiesta complessa che il giovane poliziotto Coliandro, impacciato e nemmeno troppo intelligente, riuscirà tuttavia a risolvere con il solo aiuto della sua amica Nikita.

Tra le righe

1. Rispondete.

Dagli elementi geografici presenti nel testo ("settimanale del comprensorio **imolese**", "**Castel S. Pietro**", "direzione **Imola-Bologna**"), potete ricavare in quale regione italiana si svolge l'episodio?

Un altro riferimento geografico ci dice che uno dei malviventi è originario di Catania. In quale regione si trova questa città?

Da quale pregiudizio è accompagnato un malvivente "originario di Catania"?

2. A *riga 9* trovate la parola "gestaccio".

L'aggiunta del suffisso "**-accio**" quale connotazione dà alla parola "gesto"?

....

Che cosa vuol dire allora "gestaccio"? ....

Il "gestaccio" è descritto alle *righe 10-11*: "mette la mano sull'incavo del gomito, piegando il braccio". A quale di queste immagini corrisponde? ....

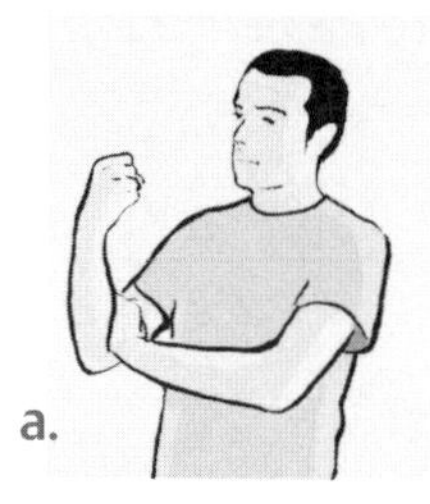
a.

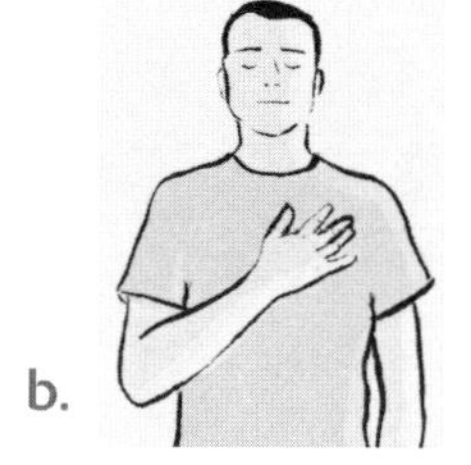
b.

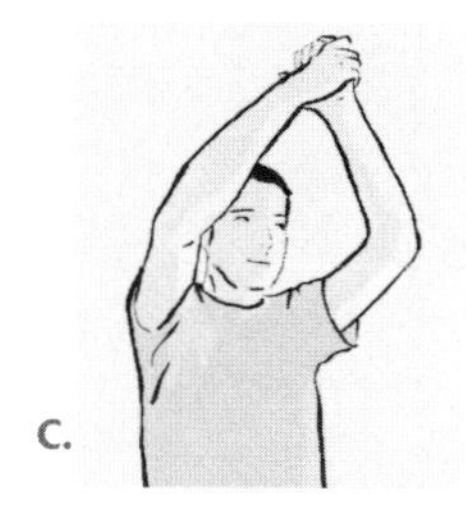
c.

3. Cercate a *riga 13* un'espressione per dire a qualcuno o di qualcuno che non si comporta bene.

....

Cercate a *riga 23* un'espressione per manifestare un'emozione negativa di fronte a una scena sgradevole.

....

4. Il titolo di giornale dice: *Sangue in Autostrada*. Separate le seguenti espressioni del testo tra quelle che si riferiscono al *sangue* e quelle che si riferiscono all'*autostrada*.

area di servizio • area di parcheggio • fucile • autogrill
Tir • fucile a pompa • macchina • bum bum

riferite al sangue:	**riferite all'autostrada:**

5. Rispondete.

riga 1: "camogli" (che con la lettera maiuscola è il nome di una località della Liguria) è una parola nuova che non si trova nel vocabolario. Deducete dal testo cosa vuol dire.

....

riga 4: "autogrill" è una parola relativamente nuova. Che cosa vuol dire?

....

riga 15: "ignoranti". Che cosa vuol dire qui questa parola?

....

riga 21: "bum-bum" è una parola onomatopeica, cioè che imita un suono. Quale suono?

....

riga 28: "undicenne". Che cosa vuol dire?

....

riga 30: la parola "TIR" è un acronimo, è cioè formata con le lettere iniziali di **Transports Internationaux Routiers**. Che cos'è un TIR?

....

6. Rispondete alle seguenti domande.

Che mestiere fa il primo testimone? da che cosa lo capite?

....

Perché l'uomo con la coda di capelli indossa il cappotto fuori stagione?

....

L'undicenne Enrico dice di aver visto "un terzo uomo". Per quali motivi gli dobbiamo credere?

....

....

7. Provate a disegnare la scena basandovi su elementi ricavati dal testo.

Parliamo!

1. Siete stati testimoni di un incidente. La polizia vi interroga e voi fornite tutti i dettagli che vi ricordate.

2. Qualcuno vi disturba facendo troppo rumore. Improvvisate un dialogo con un vostro compagno che reagisce alle vostre proteste.

3. Fate una ordinazione al bar per voi e un gruppetto di vostri amici.

4. Descrivete un autogrill.

CINEMA

1 Grotta di Ali Babà
biglietto-apriti sesamo,
e lo scrigno di luce si spalanca,
C'è un'ora e mezzo circa,
5 il tempo di rubare una scena,
una voce o un fotogramma.
Ma presto, ché i ladroni stanno tornando,
i critici,
armati fino ai denti di asterischi
10 per riappropriarsi del loro bottino.

L'autore

Nato a Roma nel 1957. Studioso e docente di letteratura francese, dal francese ha tradotto in italiano poeti come Mallarmé e Valéry. Ha scritto e pubblicato in momenti diversi le raccolte di poesie *Ora serrata retinae, Nature e venature* e *Esercizi di tiptologia*, riunite poi nel volume *Poesie* (1980-1992). È del 1999 *Didascalie per la lettura di un giornale*, da cui è tratta la poesia *Cinema.*

Tra le righe

1. *Ali Babà e i 40 ladroni* è una tra le novelle più note delle *Mille e una notte.* Ricostruitene la trama riempiendo gli spazi vuoti con le parole adatte fra le seguenti.

ladri • grotta • gioielli • scrigni • segreto • porta • sesamo

Ali Babà vuole visitare una grotta da dove ha visto uscire un gruppo di uomini ma l'ingresso è chiuso.
Scopre però il .... per entrare: bisogna pronunciare le parole magiche: "Apriti ...." e infatti la .... si apre. All'interno della .... ci sono .... pieni di oro e di .... che quaranta .... tengono lì come bottino delle loro rapine. Prima del ritorno dei ladroni, Ali Babà si impadronisce di questi tesori e diventa ricchissimo.

2. *riga 9:* armati… di "asterischi".

Quale di questi segni è un asterisco?

a. # b. @ c. * d. ( ) e. %

Come usano i critici cinematografici gli asterischi?
per segnalare che hanno visto il film ☐
per valutare il film ☐
per censurare il film ☐

3. Dite a che cosa corrispondono metaforicamente nel "cinema" gli elementi della "novella" qui elencati.

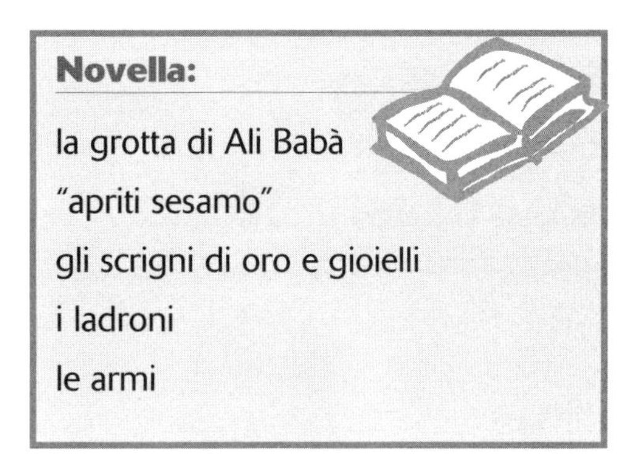

Novella:

la grotta di Ali Babà
"apriti sesamo"
gli scrigni di oro e gioielli
i ladroni
le armi

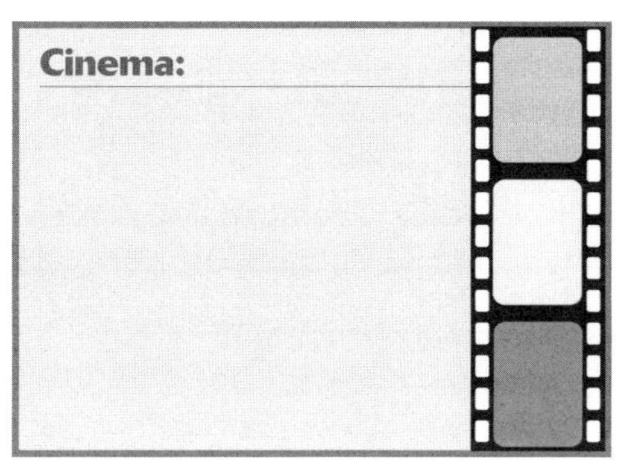

Cinema:

4. Rispondete alle domande.

riga 3: "si spalanca", vuol dire:
- ☐ si apre un po'
- ☐ si apre completamente
- ☐ non si apre

riga 6: "fotogramma", questa parola che finisce in -**a** è maschile o femminile? ....

riga 9: "armati fino ai denti" vuol dire
- ☐ che usano i denti come armi
- ☐ che sono carichi di armi

riga 10: "**ri**appropriarsi", che cosa vuol dire il prefisso **ri**- in questa parola? ....

riga 10: "bottino", vuol dire qui
- ☐ preda di guerra
- ☐ il ricavato di una rapina

5. Dite quali delle frasi seguenti sono **vere** o **false** rispetto al contenuto del testo.

	V	**F**
a. La poesia fa un parallelo fra una novella e il cinema.	☐	☐
b. Il modo migliore per vedere un film è farsi guidare dalla critica.	☐	☐
c. I critici credono di essere loro i padroni dei film.	☐	☐
d. Il biglietto ha la funzione di permettere l'ingresso al cinema.	☐	☐
e. La durata di un film è in media "un'ora e mezza".	☐	☐

Parliamo!

1. Vi piace il cinema? che tipo di film preferite? con chi andate al cinema, con che frequenza, a che ora? che film è rimasto nella vostra memoria?

2. "Oggi, il cinema ha sostituito le favole tradizionali." Dite se siete d'accordo e perché.

3. Insieme con i compagni di corso, discutete se la funzione della critica cinematografica è utile o no per meglio comprendere i film.

4. Raccontate la trama di un film.

Attentato alla Sindone

Laura Mancinelli

Quello che riempiva il corridoio a pianterreno non era il solito affollarsi all'uscita prima della chiusura, quanto un movimento caotico e affannoso, un gran vociare da cui non emergevano frasi o parole distinte, ma grida e richiami confusi di persone agitate, che si spingevano e urtavano per guadagnare la scalinata esterna. Un po' con le sue gambe, molto più trascinato e spintonato, Carmine Bauducco si trovò anche lui a scendere i larghi gradini che portavano al marciapiede di via Sant'Ottavio. Poi, per sfuggire alla calca che sempre gli era molesta, s'incamminò verso via Verdi, la quale appariva tutta sgombra. Ma quando la raggiunse, capì perché non ci passava nessuno: era transennata, e le transenne erano sorvegliate da vigili urbani dall'aria grintosa.

– Che è successo? – chiese a quello che gli parve più mansueto.

– È andato a fuoco il Duomo, – fu la laconica risposta.

– Il Duomo? Ma come è possibile? Com'è accaduto?

Il vigile gli rivolse uno sguardo vuoto, si strinse nelle spalle e non disse nulla.

Poiché tutta la folla si dirigeva verso via Po, e lungo via Po verso Piazza Castello, Carmine Bauducco scelse anche lui quel percorso. Dire "scelse" è un eufemismo, perché in realtà fu trascinato dalla corrente che vociando fluiva verso il luogo dell'incendio, le cui avvisaglie giungevano sempre più chiare e sinistre. Quando arrivò in piazza Castello spinto dalla folla, il professor Bauducco non avrebbe saputo dire quanti passi aveva fatto con i piedi suoi e quanti con quelli altrui. E non per sua volontà si ritrovò imprigionato contro un transennamento metallico, sorvegliato da militari, che lasciava perfettamente vuota la piazza in cui, a sirene spiegate, passavano mezzi antincendio e altre macchine di servizio.

Sentendosi schiacciare dalla folla che premeva contro la barriera metallica e temendo per le sue costole, il professor Bauducco si diede a sgomitare all'indietro, per rientrare nel folto della gente e raggiungere i portici. Aveva rinunciato ad avvicinarsi al Duomo, e voleva arrivare per la via più breve alla sua abitazione, in piazza Statuto, per aver notizie dell'incendio dalla televisione. Sempre trascinato più che camminando con le sue gambe sotto le arcate dei portici, si trovò in via Pietro Micca: poco male, dal momento che via Garibaldi, che sarebbe stato il percorso più breve verso casa sua, era anch'essa rigorosamente transennata. In via Pietro Micca la folla andava diradandosi: per la maggior parte si muoveva in senso contrario, cioè verso Piazza Castello, dove sperava di vedere qualche cosa e di avere notizie più precise sull'incendio del Duomo.

L'autrice

Nata a Udine nel 1933, vive a Torino. Docente universitaria, oltre che scrittrice, ha pubblicato romanzi storici e romanzi polizieschi. Tra i suoi molti titoli: *I dodici abati di Challant, Il fantasma di Mozart, Il miracolo di Santa Odilla, I tre cavalieri del Graal, Il mistero della sedia a rotelle, Killer presunto, Attentato alla Sindone, La sacra rappresentazione, Andante con tenerezza.*

Il libro

Attentato alla Sindone è un "giallo" garbato e gentile, senza spargimenti di sangue né scene forti, da cui traspare un grande amore per la città di Torino e i suoi percorsi. Prende spunto da un inizio di incendio del Duomo, che è realmente accaduto. In quell'occasione ha corso il rischio di bruciare la Sacra Sindone, il lenzuolo che, secondo una tradizione, avrebbe avvolto il corpo di Cristo nella tomba e che era custodito nella chiesa.

Tra le righe

1. Rintracciate nel testo le vie, le piazze e le chiese menzionate.

....

....

....

....

....

....

....

....

Tra questi nomi di strade e piazze, riconoscete quello di

a. un importantissimo compositore italiano ....

b. del fiume che passa per Torino ed è il più lungo d'Italia ....

c. di un famoso eroe nazionale del Risorgimento italiano ....

2. Tracciate su questa piantina del centro di Torino l'effettivo percorso di Carmine Bauducco partendo dal simbolo ☆.

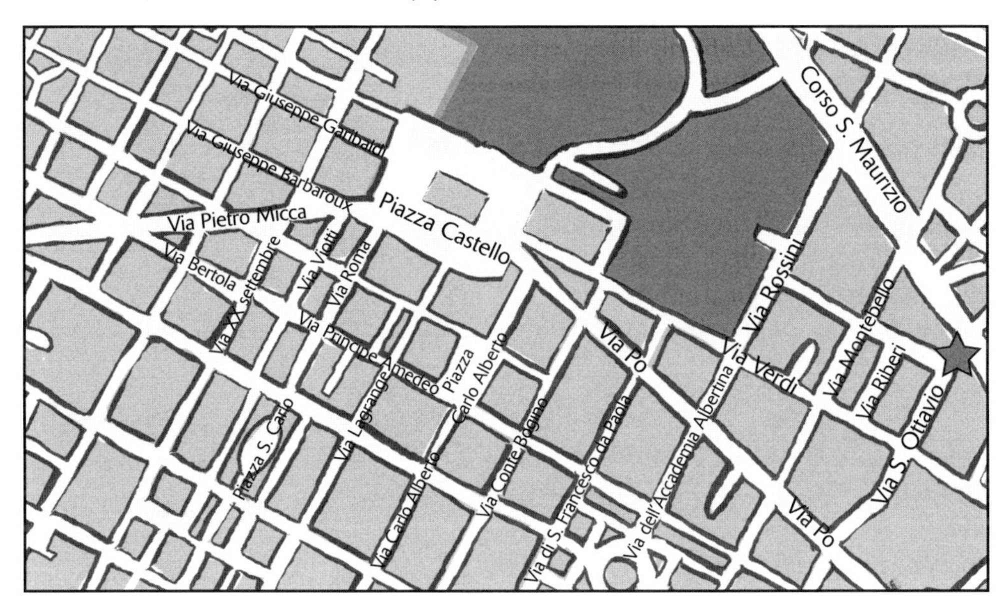

3. Rispondete.

Nel testo (*righe 6, 7 15, 19, 26-31, 33*) si parla di strade e piazze della città e anche di "portici". Che cosa vuol dire la parola "portici"?

....

In varie parti del testo (*righe 9, 21, 31*) si parla di "transenne", di "strade transennate", di "transennamento". Cercate, sempre nel testo, la spiegazione della parola "transenna".

....

4. Dividete le seguenti parole ed espressioni del testo in due gruppi di significato omogenei.

vociare • scalinata • frasi • parole • gradini • marciapiedi
grida • richiami • portici • arcate • transenne • sirene

elementi urbani:	**suoni:**

5. Rispondete.

riga 14: "si strinse nelle spalle"; per indicare che cosa? ....
Quale delle seguenti immagini descrive questo gesto? ....

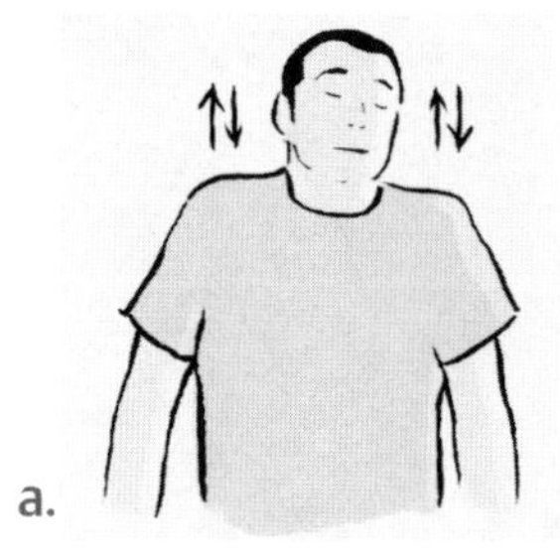
a.

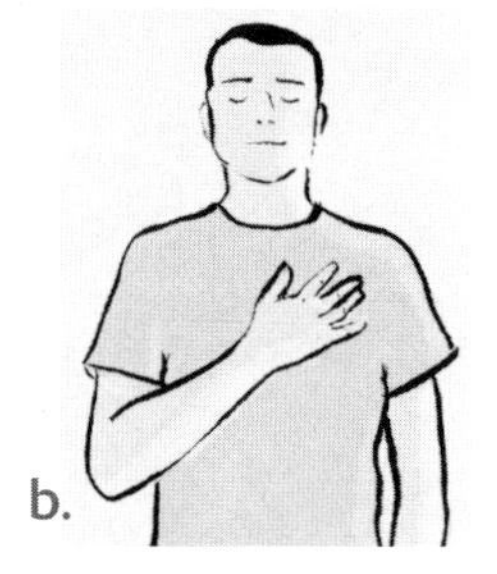
b.

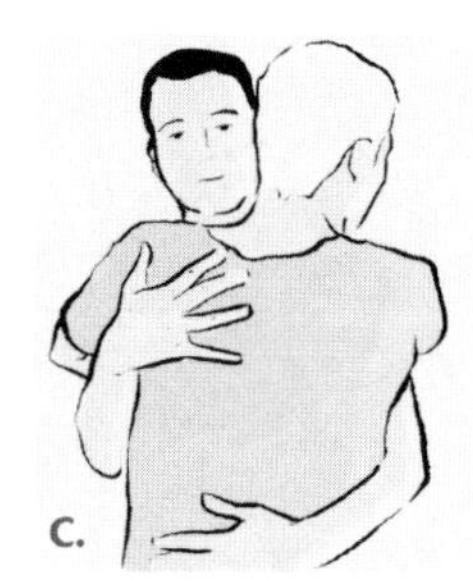
c.

6. A che cosa sono riferiti nel testo gli elementi in neretto?

riga 1: **quello** che riempiva il corridoio a pianterreno
riga 7: che sempre **gli** era molesta
riga 8: ma quando **la** raggiunse
riga 8: perché non **ci** passava nessuno
riga 11: chiese a **quello**
riga 11: che **gli** parve più mansueto
riga 20: e **quanti**
riga 20: con **quelli** altrui
riga 31: anch'**essa**

7. Cercate nel testo chi controlla l'ordine pubblico in questa situazione di emergenza.

riga 9: .... *riga 22:* ....

Parliamo!

1. Dite secondo quali criteri sono intitolate le vie e le piazze cittadine nel vostro paese e a chi, secondo voi, sarebbe giusto intitolarle.

2. Raccontate di un incendio cui avete assistito o di cui avete saputo dalle cronache.

3. Descrivete nei dettagli il vostro percorso da casa al luogo di lavoro o viceversa.

Non ti muovere
Margaret Mazzantini

Hanno subito chiamato il terzo piano perché preparassero la sala operatoria. La rianimatrice ha chiesto: "Chi c'è di turno in neurochirurgia?"

Così, hanno cominciato a prepararti. Un'infermiera ti ha spogliata lentamente, tagliando i vestiti con le forbici. Non sapevano come fare per avvertire i tuoi familiari. Speravano di trovarti un documento addosso, ma non ne avevi. C'era il tuo zaino, lì hanno preso il tuo diario. La rianimatrice ha letto il nome, poi il cognome. È rimasta sul cognome e solo dopo un po' è tornata sul nome. Una folata di caldo le ha arroventato il viso, ha avuto bisogno di respirare e ha faticato a farlo, come se un boccone sgarbato le strozzasse il cammino dell'aria. Allora ha scordato il suo ruolo cruento, ti ha guardato il viso come una donna qualunque. Ha frugato i tuoi lineamenti tumefatti, nella speranza di allontanare lo sgomento di quel pensiero. Ma tu mi somigli, e Ada non ha potuto non accorgersene. L'infermiera ti stava rasando la testa, i tuoi capelli cadevano sul pavimento. Ada ha mosso un braccio verso quella caduta di ciocche castane. "Piano, fai piano" ha sussurrato. Ha camminato verso la rianimazione, verso il neurochirurgo di guardia.

"La ragazza, quella che hanno appena portato..."

"Sei senza mascherina, usciamo."

Hanno lasciato quel luogo asettico dove i parenti non sono ammessi, dove i malati giacciono nudi accanto al soffio del loro respiro artificiale e insieme sono tornati nella stanza dove l'infermiera ti stava preparando. Il neurochirurgo ha guardato nel monitor il tracciato dell'elettrocardiogramma e della pressione sanguigna. "È ipotesa" ha detto, "avete escluso lesioni toraciche e addominali?" Poi ti ha guardata, di sfuggita. Ti ha spalancato le palpebre con un moto rapido delle dita.

"Allora?" ha detto Ada.

"Sono pronti in sala operatoria?" ha chiesto lui all'infermiera.

"Stanno preparando."

Ada ha insistito:"Non ti sembra che gli somigli?"

Il neurochirurgo s'è voltato e ha sollevato il radiogramma della TAC verso la luce che entrava dalla finestra. "L'ematoma è esteso tra cervello e dura madre...."

Ada ha stretto le mani l'una dentro l'altra, ha alzato il tono della voce: "Gli somiglia, vero?"

Margaret Mazzantini • Non ti muovere

L'autrice

Nata a Dublino nel 1961, vive a Roma. Ha scritto *Il catino di zinco, Manola* e *Non ti muovere*. Quest'ultimo romanzo ha vinto il Premio Strega del 2002, ha venduto più di un milione di copie e ha dato origine al film con lo stesso titolo del regista Sergio Castellitto, marito della scrittrice. Nel 2004, Margaret Mazzantini ha pubblicato *Zorro, un eremita sul marciapiede*.

Il libro

In pericolo di vita per una caduta dal motorino, una ragazza di quindici anni è casualmente trasportata all'ospedale dove il padre lavora come chirurgo e i suoi colleghi la riconoscono. Mentre viene operata, il padre, in un immaginario e disperato dialogo con lei, la supplica di "non muoversi", di non lasciare la vita e le racconta, finalmente sincero, tutto se stesso e la sua storia.

Tra le righe

1. Rispondete alle seguenti domande sul testo.

a. Chi sta raccontando questa storia? ....

A chi si sta rivolgendo? ....

Quali persone dialogano fra loro ....
all'interno del testo? ....
....

b. Chi pronuncia le seguenti frasi:

riga 14: "Piano, fai piano" ....

riga 24: "Allora?" ....

riga 26: "Stanno preparando." ....

riga 29: "L'ematoma è esteso
tra cervello e dura madre" ....

righe 30-31: "Gli somiglia, vero?" ....

2. Rispondete.

riga 5: Perché la ragazza ha con sé lo "zaino"?

riga 6: Che cos'è il "diario" per i ragazzi che vanno a scuola?

3. Collegate con frecce i seguenti termini medici con le loro spiegazioni.

tumefatto	membrana che riveste il cervello
asettico	con pressione bassa
ipoteso	versamento di sangue in un tessuto in seguito a un trauma
addominale	un esame medico per diagnosi cliniche precise
toracico	riferito al ventre, alla pancia
TAC	gonfio
ematoma	riferito al torace, al petto
dura madre	senza germi, non infetto

4. Rispondete a queste domande su frasi del testo.

riga 4: "tagliando i vestiti con le forbici".
Perché tagliano i vestiti con le forbici?

righe 7-8: "una folata di vento le ha arroventato il viso".
Perché il viso di Ada si è arroventato?

riga 8: "ha avuto bisogno di respirare".
Perché Ada ha avuto bisogno di respirare?

righe 10-11: "ha frugato i tuoi lineamenti".
Perché ha frugato i lineamenti della ragazza?

righe 12-13: "ti stava rasando la testa".
Perché rasavano la testa della ragazza?

riga 23: "ti ha spalancato le palpebre".
Perché il medico le ha spalancato le palpebre?

riga 28: "ha sollevato il radiogramma della TAC verso la luce".
Perché ha alzato il radiogramma verso la luce?

riga 30: "ha stretto le mani l'una dentro l'altra".
Perché ha stretto le mani l'una nell'altra?

riga 30: "ha alzato il tono della voce".
Perché ha alzato il tono della voce?

5. Trovate nel testo le numerose parole riferite all' "ospedale".

L'ospedale:

6. *riga 28:* la parola "TAC" è un acronimo, è cioè formata con le lettere iniziali di tre parole. Provate a dire quali sono.

....

Parliamo!

1. La dottoressa Ada racconta a qualcuno l'episodio della ragazza che lei ha riconosciuto.

2. Avete mai subito un'operazione? Quali particolari vi ricordate?

3. Con un compagno di corso, improvvisate un dialogo tra un figlio che vuole un "motorino" e un genitore che non glielo vuole comprare.

4. Voi somigliate a qualcuno della vostra famiglia? In che cosa vi somigliate? In che cosa siete diversi? Occhi? Capelli? Forma del viso? Altezza? Mani? Voce? Altro?

Vita
Melania Mazzucco

Vita non aveva mai visto un luogo simile, né lo avrebbe visto negli anni successivi. Non avrebbe più varcato il confine di Houston Street. Ma quel pomeriggio rimase indelebile nella sua memoria – con la vivida immediatezza di un sogno. Fu una visita rapida, accelerata – tutto durò non più di tre minuti. Non aveva il tempo di fermarsi da nessuna parte, Diamante la trascinava di qua e di là, e poi si misero a correre, perché anche il poliziotto era entrato nel grande magazzino, aveva portato un fischietto alle labbra, li inseguiva e dei commessi biondi larghi come armadi avanzavano minacciosi da tutte le direzioni. Attraversarono correndo un locale più vasto di una cattedrale, eppure anche correndo lei non poteva non vedere le piramidi di cappelli e guanti, le montagne di sciarpe e foulard colorati, i mucchi di forcine e pettini di tartaruga, le calze di seta e di cotone bianco – e tutto era bello, di una bellezza meravigliosa e accattivante, e Diamante correva, Vita inciampava, il poliziotto urlava: "Stop those kids!" tutti si voltavano a guardarli – finché si infilarono in una stanza con le pareti trasparenti. Era una trappola, perché un uomo in divisa, che piantonava una bottoniera d'ottone, premette un pulsante e le porte si chiusero, imprigionandoli. Eppure quell'uomo non era un poliziotto: solo un negro ossuto e lucido di sudore che, impercettibilmente, sorrise.

Diamante non aveva mai visto un uomo con la pelle così scura: solo nelle recite per la Presa d'Africa del 1896, che tutti gli anni si replicava a Portanuova – ma in quel caso i soldati dell'esercito di Menelik erano neri perché truccati col catrame e in realtà erano scolari di Minturno, bianchi come lui. Alcuni negri veri li aveva visti nelle vignette degli almanacchi popolari, dove però portavano un osso fra i capelli e scodelle nelle labbra e non una divisa con i bottoni d'oro. Erano selvaggi e cannibali, mentre quest'uomo elegantissimo e impeccabile pareva importante. A un tratto la stanza con le pareti trasparenti cominciò a muoversi, e schizzò verso l'alto. Diamante s'appoggiò alla parete, spaventato. La stanza volava! Il cannibale scrutò, impassibile, i suoi scarponcini impolverati e la federa del cuscino che Diamante teneva sulla spalla. I suoi occhi nerissimi indugiarono sul musetto di Vita, rigato di polvere. Lei s'aggrappò a Diamante, perché nelle storie che le raccontava sua madre l'uomo nero era un flagello micidiale, peggiore dei morti viventi e delle streghe janare che rubano i bambini: l'uomo nero ruba le bambine curiose. Ma Diamante non riusciva a farle coraggio, anzi tremava, perché la stanza volava, vibrava, scricchiolava. Quando le porte della scatola si aprirono, erano in cima al mondo, e il poliziotto, i commessi, il direttore del magazzino minuscoli, cinque piani più in basso. L'uomo dell'ascensore li spinse fuori e premette il bottone. Mentre le porte si accostavano sul suo viso sconcertante, l'uomo nero indicò la via d'uscita – davanti a loro. Erano le scale antincendio.

L'autrice

Nata nel 1966 a Roma. Esordisce nel 1996 con *Il bacio della Medusa* e pubblica in seguito gli altri due romanzi, *La camera di Balthus* e *Lei così amata*. Nel 2003 esce il suo *Vita* con cui vince il Premio Strega e riscuote grandissimo successo di pubblico e di critica.

Il libro

Sulle tracce della propria storia familiare, l'autrice scrive un romanzo picaresco e fantastico sull' emigrazione italiana in America all'inizio del Novecento. Diamante e Vita, immigrati bambini da un poverissimo paesino del Sud nella grande e ricca New York, si dovranno confrontare, tra lavoro durissimo, enormi difficoltà, spaesamenti e stupori, con un mondo completamente diverso.

Tra le righe

1. Rispondete alle seguenti domande sul testo.

a. A *riga 14* compare "una stanza con le pareti trasparenti".
Con quali altre espressioni nel testo viene indicato lo stesso luogo?

riga 14: ....

riga 33: ....

righe 34-35: ....

b. A *riga 14* compare "un uomo in divisa".
Con quali altre espressioni nel testo viene indicata la stessa persona?

righe 16-17: ....

riga 24: ....

riga 26: ....

righe 34-35: ....

2. Secondo il testo, quali altre persone sono presenti nel grande magazzino, oltre a Diamante e Vita? Elencateli e dite chi è ostile ai due bambini e chi è amichevole con loro.

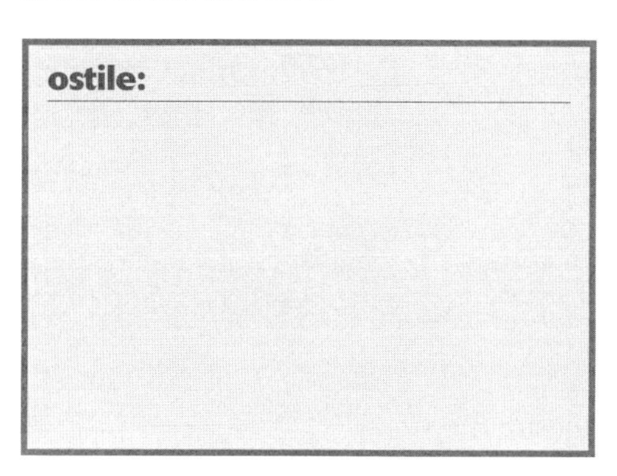

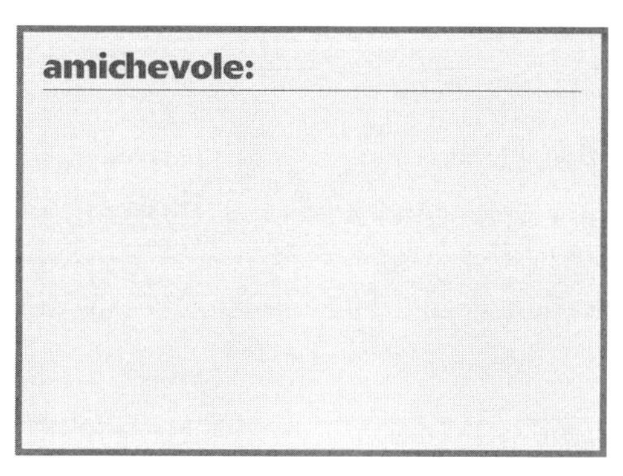

3. Diamante e Vita sono sospesi tra i vecchi ricordi dell'Italia e le impressioni della nuova terra in cui si trovano. Dite quali delle seguenti parole ed espressioni del testo appartengono al loro passato e quali al loro presente.

Presa d'Africa del 1896 • un negro ossuto e lucido di sudore
Houston Street • Menelik • stop those kids • Portanuova
Minturno • le streghe janare • i morti viventi

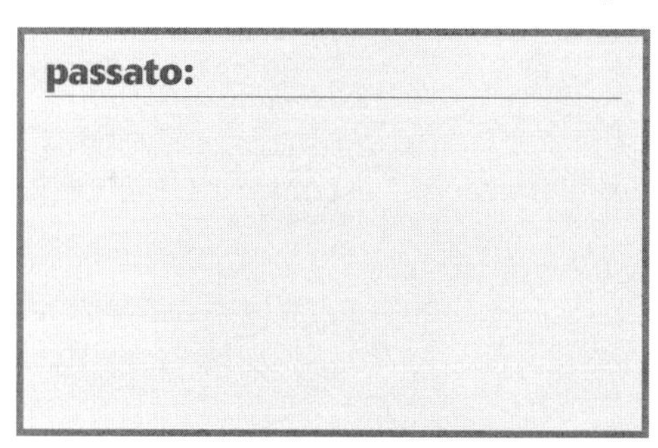

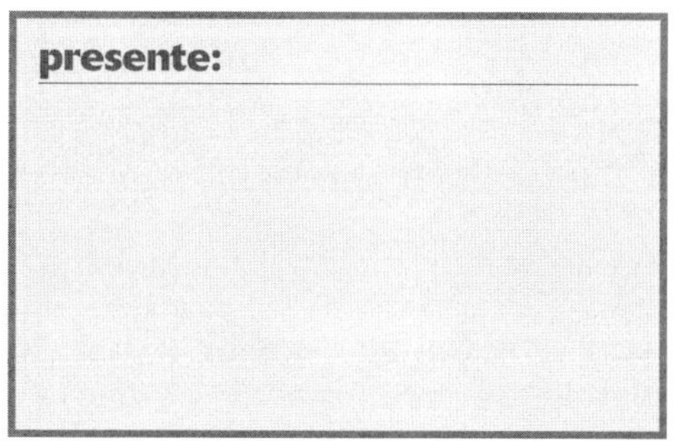

4. A che cosa sono riferiti nel testo gli elementi in neretto?

riga 1: né **lo** avrebbe visto
riga 5: Diamante **la** trascinava di qua e di là
riga 7: **li** inseguiva
riga 16: le porte si chiusero, imprigionando**li**
riga 16: **quell'uomo** non era un poliziotto.
riga 26: **il cannibale** scrutò
riga 31: non riusciva a far**le** coraggio
riga 35: **li** spinse fuori

5. Senza guardare il testo, inserite in queste espressioni i materiali mancanti.

pettini di ....

le calze di .... e di .... bianco

una bottoniera d'............................

truccati col ....

una divisa con i bottoni d' ....

6. Senza guardare il testo, cercate di ricordare le parole ed espressioni sostituite qui dalle parti in neretto.

quel pomeriggio rimase **incancellabile** nella sua memoria
cominciarono a correre
un locale più **grande** di una cattedrale
premette un **bottone** e le porte si chiusero
tutti gli anni si **ripeteva** a Portanuova
nelle vignette **dei calendari** popolari
indugiarono sul **visetto** di Vita
i commessi, il direttore del magazzino **piccolissimi**, cinque piani più in basso

Parliamo!

1. Raccontate l'episodio dal punto di vista dell'uomo dell'ascensore.

2. Raccontate l'episodio dal punto di vista del poliziotto.

3. Insieme con un compagno di corso, inscenate un dialogo fra Diamante e Vita dopo la loro fuga.

4. Prendendo spunto dal testo, discutete di superstizioni e pregiudizi.

Registro di classe
Sandro Onofri

25 settembre. Su settanta alunni, tutti intorno ai sedici anni, uno solo aveva letto *Pinocchio*. A molti di noi sembrerà impossibile: come si può crescere senza aver letto quel libro incredibile? Talmente "dentro" di noi da risultare perfino difficile, così all'improvviso, senza avere preparato niente, spiegarne l'importanza ai ragazzi? Ci provo e mi vengono in mente solo poche immagini fortissime, quella del Grillo parlante spiaccicato contro il muro dalla spensieratezza del burattino, oppure quella di Pinocchio stesso ridotto ormai un pupazzo. Era l'ultimo disegno del libro letto mille volte, forse lì ho avvertito per la prima volta il senso della morte, in quel "grosso burattino appoggiato a una seggiola, col capo girato sur una parte, con le braccia ciondoloni e con le gambe incrociate e ripiegate a mezzo, da parere un miracolo se stava ritto". Vicino a lui, me lo ricordo ancora, tra la seggiola e un mobile su cui era poggiato un vaso di fiori, c'era l'insignificante ragazzino vero, la cui comparsa faceva finire la storia più bella che avessi mai letto.

Eppure è così. Gli studenti credono di conoscere bene la storia del burattino di Collodi, avendo visto il film di Walt Disney (che però, stranamente, schematizza troppo la vicenda), e perciò non l'hanno mai letta. È normale, non bisogna sorprendersi: quanti della nostra generazione, per esempio, non hanno mai letto *David Copperfield*, il capolavoro dickensiano che la televisione mandò in onda a puntate tanti anni fa? Non bisogna scandalizzarsi, dunque. E poi i ragazzini crescono così, coi genitori sempre indaffarati, le baby sitter che vanno e vengono, e una cassetta a caso infilata dentro il videoregistratore. La lettura della favola prima di andare a letto è abitudine persa, i bambini vedono i genitori solo la sera e hanno voglia di giocarci, si va a dormire tutti insieme molto tardi, stanchi morti e innervositi. I libri non esistono più, o quasi.

Compreso *Pinocchio*.

La sorpresa semmai sta nel constatare che gli stimoli per la lettura sono sempre gli stessi, e che i bei libri provocano la medesima lettura selvaggia. È bastato leggere tre capitoli in classe, quasi per caso in attesa che arrivassero i libri di testo, comprando Pinocchio all'edicola o alla prima libreria che capitava, senza l'ossessione di riassunti scritti, per far scattare la passione verso questa storia eterna. I ragazzi hanno continuato spontaneamente da soli, a casa. Una lettura vorace, finita nel giro di un paio di giorni. Si sono ripresentati in classe entusiasti per avere scoperto che quella raccontata nel libro è una storia molto più bella "di quella vera" del film di Disney, dispiaciuti per la sorte del Grillo parlante (che, comunque, mi rassicurano, è "resuscitato" dalla fata turchina), ma meravigliati per la presenza degli altri personaggi prima sconosciuti, commossi per la morte di Lucignolo.

Me l'hanno raccontato tutto, rammentandomi anche certi particolari che io non ricordavo più. Fino a quello che loro considerano un lieto fine, e che a me continua a provocare una gran malinconia.

L'autore

Nato nel 1955 a Roma, è morto prematuramente nel 1999. Ha scritto i romanzi *Luce del Nord, Colpa di nessuno, L'amico di infanzia*, che è stato pubblicato postumo, e vari racconti e reportage giornalistici. È stato insegnante di lettere in un istituto tecnico e da questa esperienza ha ricavato *Registro di classe.*

Il libro

Durante un intero anno scolastico, l'autore tiene un diario quotidiano di quello che succede nella sua classe. I giovani studenti hanno pochissimo interesse per lo studio così come gli viene proposto e imposto e non trovano le parole per esprimere le loro ansie e inquietudini in un mondo in cui il dialogo con gli adulti è sempre più difficile.

Tra le righe

1.a Cercate nel testo il nome dell'autore di *Pinocchio.*

....

b. Collegate con frecce questi personaggi di *Pinocchio* con le loro spiegazioni.

il Grillo parlante	un burattino di legno che alla fine diventerà un bambino vero
Pinocchio	un bambino che non ha voglia di studiare e diventerà un somaro
la fata turchina	un personaggio un po' noioso che dà sempre "buoni consigli"
Lucignolo	una creatura magica buonissima sempre disposta ad aiutare Pinocchio

c. Rispondete alle domande.

Nella lingua quotidiana di oggi di chi diciamo:

"è un Pinocchio"? ....

"è un Grillo parlante"? ....

"è un Lucignolo"? ....

Se non lo sapete scegliete fra le seguenti risposte.

di chi ci invita a divertirci invece di fare cose serie • di chi ha il naso lungo
di chi ci spinge a studiare e lavorare e a non metterci nei guai

2. L'autore è entusiasta di *Pinocchio*. Cercate nel testo espressioni molto elogiative per questo libro.

riga 3: ....

riga 13: ....

riga 27: ....

riga 30: ....

Cercate nel testo un' espressione molto elogiativa per il romanzo *David Copperfield.*

riga 18: ....

3. A che cosa sono riferiti nel testo gli elementi in neretto?

riga 1:	**uno** solo
riga 4:	spiegar**ne** l'importanza
riga 5:	**ci** provo
riga 5:	**quella** del Grillo parlante
riga 6:	spiaccicato contro il muro dalla spensieratezza del **burattino**
riga 6:	oppure **quella** di Pinocchio stesso
riga 8:	forse **lì** ho avvertito per la prima volta
riga 14:	eppure è **così**
riga 16:	non **l'**hanno mai letta
riga 23:	hanno voglia di giocar**ci**
riga 32:	**quella** raccontata nel libro
riga 37:	me **l'**hanno raccontato tutto

4. Senza guardare il testo, provate a ricordare le espressioni sostituite qui dalle parti in neretto.

mi ricordo solo poche immagini
libro letto **moltissime** volte
schematizza troppo **la storia**
la televisione **trasmise** a puntate
coi genitori sempre **occupati**
si va a dormire **stanchissimi**
aspettando che arrivassero i libri di testo
comprando Pinocchio **dal giornalaio**
stupiti per la presenza di altri personaggi
ricordandomi anche certi particolari

5.a Alle *righe 8-11* è riportata una citazione originale da *Pinocchio* (scritto nell'Ottocento). Dite a che cosa corrispondono in italiano moderno queste parole un po' invecchiate.

seggiola ....

sur ....

a mezzo ....

ritto ....

b. Cercate nel testo una parola straniera, abitualmente usata in italiano, che vuol dire "ragazza che si occupa a pagamento dei bambini quando i genitori sono occupati".

....

6. Provate a rifare, seguendo attentamente i dettagli del testo, "l'ultimo disegno del libro" che l'autore ricorda così bene.

Parliamo!

1. Anche se avete visto solo il film, provate a raccontare la storia di Pinocchio.

2. Insieme con i vostri compagni improvvisate (o preparate) una discussione in cui alcuni difendono e altri accusano la scuola tradizionale.

3. Siete d'accordo oppure no con la descrizione della famiglia moderna fatta nel secondo paragrafo? È così a casa vostra o a casa dei vostri amici?

4. Parlate di un libro che considerate importante per la vostra formazione.

Allegro occidentale
Francesco Piccolo

L'unica cosa davvero inquietante della foresta non ci sembra nemmeno la quantità di zanzare testarde che ogni notte ci attaccano uno contro uno finendo per spossarci con il ronzio accanto all'orecchio ogni volta che spegniamo la luce, mentre spariscono nel nulla ogni volta che la riaccendiamo – con il risultato di una decina di grandi punture al risveglio, e una colazione in cui si spalmano burro e marmellata e ogni tanto si appoggia il coltello nel piattino per darsi una violenta grattata alla caviglia o sul braccio, chiedendo continuamente: Anche a te? Anche a te? Come se non riuscissimo a credere che possano attaccare anche gli altri nel modo in cui hanno attaccato noi, ma sentendocene in fondo sollevati. Quello che ci sembra davvero inquietante è che nella foresta i telefonini "non prendono". All'improvviso, appena ci siamo addentrati, appena sono comparse le casupole di fango, il segnale è completamente sparito. Manca poco che ci chiediamo: chissà come faranno quelli nelle casupole di fango.

Fino a quando il segnale non era sparito, i telefonini erano in uso continuo nel modo in cui si usano soprattutto nei viaggi internazionali. Messaggini. Mentre eravamo nel pulmino, cioè per quattro quinti delle nostre giornate, ogni tanto si sentiva una musichetta brevissima, tatatà, un lampo, che annunciava che per uno di noi era arrivato un messaggino dall'Italia. Uno di noi prendeva il telefonino e lo guardava e riguardava a lungo, sempre con un sorriso ebete sul viso, a volte scuotendo la testa; poi, immancabilmente, rispondeva. E cioè, mentre attaversavamo le distese naturali più belle, mentre passavamo accanto a un cobra quasi in piedi sulla strada, mentre su di un lato distese collinari di piantagioni di tè coprivano di un verde intenso l'orizzonte, uno di noi aveva lo sguardo fisso e concentrato sul display del proprio telefonino e cercava con concentrazione e fatica una lettera alla volta per esprimere un concetto articolato, spiritoso e inutile, che il più delle volte terminava con una domanda, in modo che dopo un po' la musichetta brevissima tornava, tatatà, ad annunciare sul telefonino di uno di noi la risposta che più che spesso terminava con un'altra domanda. Attraversavamo l'isola che un tempo si chiamava Ceylon, la percorrevamo in lungo e in largo e puntavamo verso la sua foresta più folta, e intanto uno di noi mandava e riceveva messaggini che si riferivano con tripli e quadrupli sensi a stupidaggini che riguardavano argomenti di pertinenza esclusiva del proprio quartiere della propria città. Questo, con intrecci e accavallamenti, accadeva a tutti. Ora, tutto taceva.

L'autore

Nato a Caserta nel 1964, vive e lavora a Roma. Collabora con quotidiani e riviste e scrive per il cinema. Ha pubblicato *Storie di primogeniti e figli unici, Se c'ero dormivo* e *Il tempo imperfetto. Allegro Occidentale* è la sua opera più recente.

Il libro

Mister Piccolo è un "occidentale" in lussuoso viaggio di gruppo alla "scoperta" dello Sri Lanka. "Allegro" perché servito, riverito e ipernutrito da hostess, guide, autisti, camerieri, addetti alle pubbliche relazioni e persino "residence manager", si rende conto di quanto sia difficile, contradditoria e tragicomica l'esplorazione turistica di mondi diversi.

Tra le righe

1.a A che cosa sono riferiti nel testo gli elementi in neretto?

riga 2: ci attaccano **uno** contro **uno**
riga 4: ogni volta che **la** riaccendiamo
riga 9: sentendoce**ne** in fondo sollevati
riga 18: **lo** guardava
riga 28: **la** percorrevamo in lungo e in largo
riga 32: **questo** accadeva tutti

b. Che cosa sottintende la domanda ellittica (cioè non completeta) che segue?

riga 7: Anche a te? Anche a te?

....

2. Rispondete alle seguenti domande.

Che cosa vuol dire l'espressione colloquiale "i telefonini non prendono"?

....

La frase finale del testo dice: "Ora tutto taceva". Perché tutto taceva?

....

Come si chiama adesso "l'isola che un tempo si chiamava Ceylon"?

☐ Madagascar ☐ Giamaica ☐ Sri Lanka

3. Dividete le seguenti parole del testo in tre gruppi di significato omogenei.

zanzare • marmellata • piattino • messaggino • musichetta
burro • segnale • colazione • telefonino • ronzio • punture • grattata

4. Rispondete.

Alle *righe 19-20* trovate "scuotendo la testa".

a. In segno di che cosa?

b. A quale delle immagini seguenti corrisponde questo gesto? ....

a. 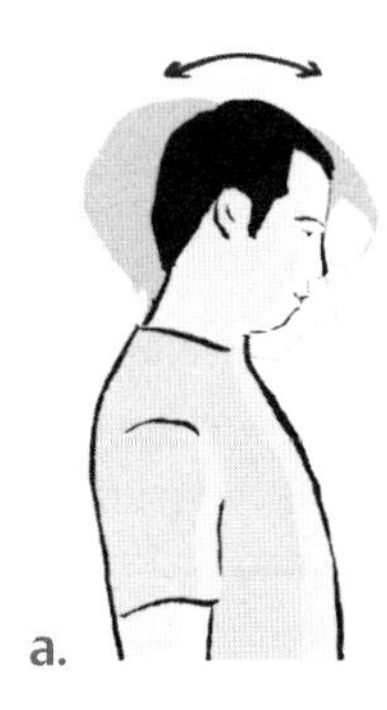

b. 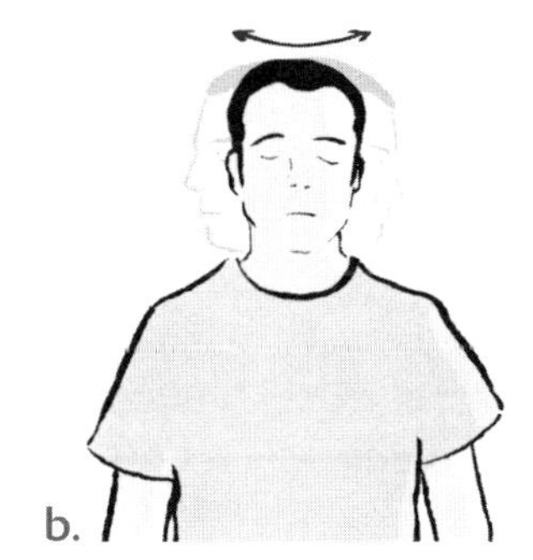

c. 

5. Rispondete.

Che cos'è un "piattino"?
Che cos'è un "telefonino"?
Che cos'è una "casupola?"
Che cos'è un "messaggino"?
Che cos'è un "pulmino"?
Che cos'è una "musichetta"?

6. Rispondete.

riga 4: "**ri**accendiamo" vuol dire "accendiamo ...."

riga 4: "una decina" vuol dire "più o meno ...."

riga 11: "ad**dentr**ati" vuol dire "andati ...."

riga 17: "tatatà" è una parola che riproduce un tipo di ....

riga 17: "un lampo": in questo caso vuol dire ☐ "una fortissima luce" ☐ "un tempo brevissimo"?

riga 19: "**ri**guardava" vuol dire "guardava ...."

riga 19: "ebete" è una parola non frequentissima che vuol dire ".................."

riga 21: "un cobra" è un tipo di ....

riga 21: la parola "cobra" che finisce in -**a** è maschile o femminile?

riga 23: "display" è una parola straniera abitualmente usata in italiano, in questo caso vuol dire ....

riga 30: **tri**pli e **qua**drupli, vuol dire "moltiplicati per .... e per ...."

Parliamo!

1. Avete l'abitudine di mandare messaggini col telefonino? Descrivete i vostri gesti dall'inizio alla fine di un invio.

2. Un ragazzo più giovane di voi vi dice: "Ma come facevate a vivere quando non c'era il telefonino?" Rispondetegli.

3. Parlate di un viaggio che volete o vorreste fare. Dove? Perché? Come? Quando? Con chi? Per quanto tempo? etc.

4. Discutete i pro e i contro dei viaggi di gruppo.

Roberto Piumini

RINOCERONTE?

1 Rinoceronte?
Rinoceronte un corno!
Rinoceronte, un giorno,
era un cerbiatto, tenero. Giocava
5 e belava nell'erba. Desideri
lucidi gli gonfiavano
gli occhi tondi.
Arrivò la tigre, disse:
"Preparati, oggi
10 non ho fame, domani
ti mangerò".
Poi arrivò il serpente, disse: "Oggi
sono un po' sazio: domani
ti strozzerò". Poi arrivò l'uomo e disse:
15 "Preparati. Oggi
ho sparato al leone: domani
ti sparerò".
Il cerbiatto
si riparò nel buio
20 con gli occhi tondi gonfi di terrore.
Dappertutto aveva terrore. Nel sangue,
negli zoccoli, nelle morbide orecchie,
nella coda e nel ventre pulsante,
nella pelle. Al mattino
25 era tutto indurito.
Una larga corazza lo copriva
tutto attorno.
Così aspettò il giorno.

Rinoceronte...
30 Rinoceronte un corno!

L'autore

Nato a Edolo (Brescia) nel 1947. È uno tra i più conosciuti autori di narrativa per ragazzi. Tra le sue numerose opere, che comprendono anche poesie e filastrocche ricordiamo: *Lo stralisco, Elena, le armi e gli eroi, Dall'ape alla zebra*. Per un pubblico adulto ha scritto: *Il civilista illuminato* e *Le virtù corporali*. Nel 2004 è uscito il suo libro *Roberto Piumini presenta la nuova commedia di Dante illustrata da Francesco Altan*.

Tra le righe

1. In questa poesia ci sono poche rime. Trovate solo le parole che fanno rima con "corno".

....

2. Cercate nel testo quali sono i tre nemici del cerbiatto e quali sono le tre minacce rivolte al cerbiatto.

nemici:	**minacce:**
....	....
....	....
....	....

3. In quali parti del corpo il cerbiatto sentiva il terrore?

....

....

....

....

....

....

....

4. Nella poesia è ripetuto un gioco di parole con **due** significati diversi di "un corno" (*riga 2* e *riga 30*). Sceglieteli fra le definizioni del vocabolario qui elencate.

a. prominenza sul capo di molti mammiferi, come buoi, cervi, rinoceronti etc.
b. strumento musicale a fiato
c. esclamazione un po' volgare per dire "niente affatto", "assolutamente no"
d. ciondolo di corallo o oro per proteggersi dalla sfortuna

5. Cercate nel testo i nomi degli animali citati.

animali:

6. Rispondete.

riga 4: "un cerbiatto" è un cervo ....

riga 13: "sazio"; essere sazio è il contrario di "avere ...."

riga 20: "il terrore" è una fortissima ....

riga 22: "zoccoli"; qui vuol dire
☐ calzature con la suola di legno
☐ la grande unghia dura e resistente di cavalli, buoi, pecore etc.

riga 23: "ventre"; è una parola un po' letteraria che vuol dire ....

riga 25: "in**dur**ito"; vuol dire "diventato ...."

riga 26: "corazza"; qui vuol dire "parte dell'armatura dei soldati" o "rivestimento osseo del corpo di alcuni animali"?

....

Parliamo!

1. La legge della giungla dice che "solo i più forti sopravvivono". Discutete il punto.

2. Discutete con i vostri compagni se "la corazza" è un bene perché adesso il cerbiatto è più forte o è un male perché il cerbiatto ha dovuto cambiare la sua natura.

3. Raccontate le motivazioni per cui voi stessi o qualcuno che conoscete si è "indurito" metaforicamente.

4. Insieme con un compagno, improvvisate un dialogo fra il cerbiatto e uno dei suoi persecutori.

Nati due volte
Giuseppe Pontiggia

LA RECITA

Si apre nel brusio il sipario: il tendone scorre sul bastone di ferro finché il ragazzo che lo sospinge piomba contro il palo che lo sorregge. Una risata, quasi una ovazione, si alza dalla platea dei disabili e dei loro parenti. Non so se la regia – il responsabile figurava nella locandina con nome e cognome – l'avesse previsto. Certo non poteva cominciare meglio. Il resto è peggio.

Dire che è capitato tutto è dire solo una parte. Ulisse, gigantesco, le gambe ispide sotto il gonnellino bianco, sembrava uno scozzese in sandali sceso in Asia Minore. Calipso piangeva sul cocuzzolo di un'isola, tra onde di legno che scivolavano come in un cartone animato. Telemaco era l'unico non disabile presente sulla scena, ma non si notava la differenza. Studente di farmacia, mi aveva informato Franca, rivolgeva ad Atena frasi che non si capiva, tanta la chiarezza della intonazione, se erano domande o risposte. Di Paolo avevano sfruttato la voce cavernosa, per trasformarlo in un Polifemo laconico. Confesso che il suo dialogo con Ulisse-Nessuno aveva acquistato strane suggestioni, tra levantine e metafisiche, ma forse ero stato tradito dalla emozione.

Pezzi forti della regia erano Nausicaa, tutta vestita di bianco in riva al mare (la figlia Down di un avvocato seduto, gli occhi spiritati, in prima fila) e il banchetto dei Proci, con le loro compagne che attingevano senza risparmio da boccali di aranciata e addentavano panini farciti. Ho sempre provato insofferenza nel vedere gli attori mangiare: sia perché non partecipo alla loro occupazione, sia perché mangiano – come si dice con una metafora precisa – in punta di forchetta, triturando a bocca ermeticamente chiusa porzioni microscopiche. E non finiscono mai, educati, sensibili, impettiti. Bene, era un particolare ignoto alla recita. Restava invece inappagata l'invidia per una voracità famelica che gli attori non avevano ritegno a mostrare, ridendo con il pubblico mentre inghiottivano fette di torta o divoravano pezzi di cioccolato. Solo Penelope, ricoperta da un saio marrone (forse simbolo della fedeltà coniugale), conservava per tutto lo spettacolo una austerità straniante, degna di Jonesco.

L'ovazione meritata, entusiasta, riconoscente, alla fine premia tutti, attori e pubblico. L'unanimità, sogno infantile a occhi aperti, intramontabile utopia di chi non cresce, diventa qui un Eden malinconico.

Aspettiamo che Paolo esca dal tendone. Finalmente appare trionfale in cima alla scaletta, scende, sudato e rapito, i primi gradini, rifiutando con un gesto perentorio mani soccorrevoli, e scivola sugli ultimi due precipitando in avanti. Per fortuna eravamo ad aspettarlo in fondo alla scaletta, come ai genitori piace e ai figli no. E lui si è salvato tra gli ultimi applausi dei pubblico, colpito questa volta dalla realtà.

Giuseppe Pontiggia • Nati due volte

L'autore

Nato a Como nel 1934, morto a Milano nel 2003. Consulente editoriale per anni, è stato un attento e infaticabile lettore di testi inediti. La sua attività di romanziere inizia con *La morte in banca* e prosegue con *L'arte della fuga, Il giocatore invisibile, Il raggio d'ombra, La grande sera, Vite di uomini non illustri. Nati due volte*, uscito nel 2000, ha vinto il Premio Campiello. Come saggista, Pontiggia ha pubblicato, fra l'altro, *Le sabbie immobili*, una raccolta di aforismi e *Viaggio nei classici*. Il volume postumo *Prima persona* è un'antologia di suoi scritti per una rubrica su un quotidiano.

Il libro

Nati due volte deriva dall'esperienza personale dell'autore che vede nascere suo figlio Paolo affetto da "tetraplegia spastica distonica". Il gravissimo handicap sembra una condanna definitiva ma col tempo fra padre e figlio si stabilirà un rapporto speciale che porterà a scoprire la ricchezza umana dietro quella diversità. Per l'autore, "questi bambini nascono due volte. Devono imparare a muoversi in un mondo che la prima nascita ha reso più difficile. La seconda dipende da voi, da quello che saprete dare". Nel 2004, il regista Gianni Amelio ha usato questo libro come spunto per il suo film *Le chiavi di casa*.

Tra le righe

1. Collegate con frecce i seguenti nomi propri presenti nel testo con le loro spiegazioni.

Ulisse	una dea greca
Calipso	il Paradiso terrestre
Telemaco	la giovane figlia del re dei Feaci
Nessuno	un autore del teatro dell'assurdo
Atena	la fedele moglie di Ulisse
Penelope	il mostruoso gigante che vuole mangiare Ulisse e i suoi compagni
Proci	i pretendenti al trono di Ulisse
Nausicaa	il re ed eroe greco protagonista dell'Odissea
Polifemo	la ninfa che si innamora di Ulisse
Ionesco	il figlio di Ulisse e di Penelope
Eden	il nome con cui Ulisse si presenta a Polifemo

2. In quale frase del testo è detto esplicitamente che gli attori della recita sono dei disabili?

....

3. Completate.

"gigantesco" vuol dire "molto ...."

"microscopiche" vuol dire "molto ...."

"gremita" vuol dire "molto ...."

"entusiasta" qui vuol dire "molto ...."

"famelico" vuol dire "................................"

"rapito" qui vuol dire "molto ...."

"perentorio" vuol dire "molto ...."

4. Dividete le seguenti parole ed espressioni del testo in tre gruppi di significato omogeneo.

boccali di aranciata • regia • recita • gonnellino • sipario
panini farciti • locandina • saio • applausi • fette di torta
scena • platea • sandali • attori • pezzi di cioccolato • pubblico

cibo	teatro	vestiario

5. *riga 21:* mangiano "in punta di forchetta". Che cosa vuol dire questa espressione metaforica?

....

6. A che cosa sono riferiti nel testo gli elementi in neretto?

riga 2: che **lo** sospinge / **lo** sorregge
riga 3: dei **loro** parenti
riga 4: **l'**avesse previsto
riga 10: non si notava **la differenza**
riga 12: per trasformar**lo**
riga 18: con le **loro** compagne
riga 20: alla **loro** occupazione
riga 31: diventa **qui** un Eden
riga 34: sugli ultimi **due**
riga 35: eravamo ad aspettar**lo**
riga 35: e ai figli **no**

7. Senza guardare il testo, cercate di ricordare la parole un po' letterarie sostituite qui dalle parti in neretto.

"per trasformarlo in un Polifemo **di poche parole**"
"aveva acquistato strane suggestioni **medio-orientali**"
"a bocca **completamente** chiusa"
"era un particolare **sconosciuto** alla recita"
"**mangiavano avidamente** pezzi di cioccolato"
"simbolo della fedeltà **matrimoniale**"
"intramontabile **sogno irrealizzabile** di chi non cresce"

Parliamo!

1. Esponete i problemi creati in una famiglia dalla nascita di un figlio disabile.

2. L'autore dedica questo libro "ai disabili che lottano non per diventare normali ma se stessi". Commentate e discutete questa frase.

3. Uno di voi è il regista dell'*Odissea*. Distribuite i ruoli ai vostri compagni e dategli istruzioni per l'interpretazione.

4. Quale testo decidereste di mettere in scena se foste il regista di un gruppo di dilettanti? Perché?

Il Consiglio finisce stranamente in fretta, con il cielo ancora chiaro. Arrivo a casa molto prima di Giovanni e Tommaso, apparecchio e penso a una cena buona, insieme.

Mi accorgo che in casa non c'è una briciola di pane, sto per chiamare Giovanni al cellulare e chiedergli di comperarlo poi guardo l'orologio, faccio un rapido conto e decido di prepararlo io, il pane.

Nessuno sa che sono in casa, e la segreteria telefonica mi proteggerà. Il cellulare per una volta tace. Prendo un quadretto di lievito di birra della scorta che sempre ho nel freezer, lo sciolgo bene in un tazzone di acqua tiepida e poi trasferisco il liquido in una ciotola. Aggiungo mezzo bicchiere d'olio, due cucchiai di zucchero, un cucchiaino di sale, mescolo bene e poi comincio ad aggiungere la farina, tutta quella che il liquido assorbe, fino ad avere un composto ben denso, ma non duro. Copro la ciotola con un panno pulito e prego che non succeda niente, che niente o nessuno interrompa il riposarsi e il lievitare.

Con il telefono sul bordo della vasca mi concedo un bagno di schiuma. Poi metto in ordine qualcosa, annaffio le malconce piante del terrazzo, e la musica mi accompagna in giro per la casa nell'ora in cui il pane, pian piano, comincia a lievitare.

Quando formo con la pasta ben lievitata una treccia, e la spennello con il rosso d'uovo, e sopra spargo semi di papavero, l'ansia comincia ad avere il sopravvento: avrò tutto il tempo che occorre? Intanto accendo il forno, come un presagio o uno scongiuro. La temperatura che occorre è mite, poggio la teglia con la treccia sul ripiano dei fornelli, dove un po' di caldo comunque arriverà per accelerare la seconda lievitazione.

Allo scadere dell'ora successiva il cellulare squilla, e tremo. Prima di rispondere infilo comunque il pane nel forno, pregando che i trenta minuti necessari alla cottura non mi siano rubati: il mio forno non ha un timer che lo spenga automaticamente.

La telefonata è della mia amica di sempre, la più antica: a lei posso raccontare che sto preparando il pane senza vergognarmene, e dirle che la vorrei qui anche se non è vero, perché so di non poterla conciliare con tutto il resto.

L'odore amico e buono si diffuse per la casa, Giovanni e Tommaso lo sentirono già dalla soglia e risero straniti, sorpresi del mio essere qui e fare.

Prendendo il pane dal forno mi accorsi di aver dimenticato di mettere un pentolino con dell'acqua, così aveva fatto un po' troppa crosta e non era lievitato al massimo. Ma la treccia dorata si freddò quanto bastava durante il bagno di Tommaso, troneggiava sulla tavola triste di surgelati e la rallegrava. I miei uomini sedettero a tavola, normali: la loro gratitudine per avermi qui mi fece sentire importante, e mi fece male al cuore.

L'autrice

Nata a Roma nel 1946. Ha pubblicato *Sigma Epsilon, Casalinghitudine, Manicomio primavera, Il gioco dei regni, Eppure, Taccuino di un ultimista, Passami il sale* e ha inoltre partecipato a volumi collettivi. Collabora con editoriali e commenti a vari giornali. Nel 2004 è uscito il suo *Le merendanze*, storia di cinque donne.

Il libro

L'esperienza di un incarico amministrativo, effettivamente sostenuto dall'autrice che è stata vicesindaco di una città importante come Perugia, si rivela impegnativa e faticosa soprattutto per i sensi di colpa nei riguardi della famiglia per cui la protagonista non trova più il tempo necessario. Il tema è quello della preparazione del cibo come dono d'amore.

Tra le righe

1. Inserite in questo schema gli ingredienti, i tempi di preparazione e di cottura e la temperatura del forno necessari per preparare il pane secondo questo testo.

Il pane	
a. Ingredienti:	**b.** Tempo di preparazione e di cottura:
....	....
....	....
....	
....	
....	
....	
....	**c.** Temperatura del forno
....	....

2. Cercate nel testo i recipienti che l'autrice usa per preparare il pane.

....

3. A che cosa sono riferiti nel testo gli elementi in neretto?

riga 5:	chieder**gli** di comperar**lo**
riga 9:	**lo** sciolgo bene
riga 12:	tutta **quella** che il liquido assorbe
riga 18:	e **la** spennello con il rosso d'uovo
riga 26:	non ho un timer che **lo** spenga automaticamente
riga 27:	la **più antica**
riga 28:	vergognarme**ne**
riga 28:	**la** vorrei qui
riga 29:	so di non poter**la** conciliare
riga 30:	**lo** sentirono
riga 35:	**la** rallegrava

4. Rispondete alle seguenti domande sul testo.

riga 2:	"apparecchio"; che cosa apparecchia l'autrice?
riga 5:	"faccio un rapido conto"; un conto di che cosa?
riga 7:	"la segreteria telefonica mi proteggerà"; da che cosa?
riga 10:	"il liquido"; di quale liquido si tratta?
riga 20:	"avrò tutto il tempo che occorre?"; per fare che cosa?
riga 24:	"tremo"; perché trema l'autrice?
riga 31:	"sorpresi"; perché sono sorpresi?
riga 37:	"mi fece male al cuore"; perché?

5. Dite se le frasi seguenti sono **vere** o **false** rispetto al contenuto del testo.

	V	F
L'autrice prepara sempre una buona cena per la sua famiglia.	☐	☐
Le piante del terrazzo sono ben curate.	☐	☐
L'autrice ama molto i cibi surgelati.	☐	☐
La cottura del pane è riuscita perfettamente.	☐	☐

6. Senza guardare il testo, cercate di ricordare le espressioni sostituite qui dalle parti in neretto.

in casa non c'è **neanche un po' di pane**
sto per chiamare Giovanni al **telefonino**
il cellulare **suona**
prima di rispondere **metto** comunque il pane nel forno

7. In italiano vengono usate abitualmente alcune parole straniere. Che cosa significano le seguenti?

riga 9: freezer ....

riga 26: timer ....

Parliamo!

1. Date ai vostri compagni una ricetta di cucina completa di ingredienti, tempi e recipienti necessari.

2. Chiedete a un vostro compagno consigli per preparare un piatto speciale.

3. Discutete il ruolo della donna moderna, divisa tra lavoro e casa.

4. Chi cucina a casa vostra? Chiedete ai vostri compagni a chi nelle loro famiglie spetta il compito della cucina.

APPROSSIMAZIONE PER DIFETTO

1 Ero tra i primi, mi toccò l'impiegata bruna. Fui fortunato, perché una vecchia signora ebbe in sorte un tizio grasso e svogliato che la mandò subito via in malo modo; e una madre di famiglia con due bambini uno per mano si beccò un tale che stava parlando al telefono, sicché dovette restare in piedi coi piccoli che smania-
5 vano ad ascoltare come quello sussurrava nella cornetta paroline cariche di sottintesi. Invece io ebbi subito modo di esporre il mio problema a una persona che mi sembrò straordinariamente attenta. "Perché" le chiesi "voi del gas pretendete ventimila lire quando questa ricevuta attesta che è tutto in ordine e che ne ho pagate addirittura ventisei?" La donna si appassionò al mio caso. Esaminò la ricevuta che
10 mi aveva rilasciato l'ufficio postale, esclamò: "Ecco qua" e mi mostrò soddisfatta un timbro dove si leggeva: 6.000. Mi spiegò e rispiegò con pazienza quello che era successo, ma io non mi capacitavo. Allora si alzò e mi disse: "Venga con me".

Uscimmo, mentre la folla fuori dalla porta sibilava: "Che fa questa? Se ne va? Ha già finito di lavorare?". Le proteste non la scalfirono minimamente. Mi condusse
15 con passo tranquillo in un'altra stanza, dove trovammo la sua collega e amica Loretta – così la chiamò – che stava leggendo un libro e intanto custodiva a sua volta, come un camino senza fuoco, il computer col terminale spento. "Ecco un altro signore a cui è successa la stessa cosa" la informò. Loretta: "Ma no". E si diede a spiegarmi anche lei che avevo sì versato alle poste ventiseimila lire, ma il postelegrafonico ne
20 aveva registrate solo sei, sicché all'azienda del gas, ora, ne risultavano sei e basta. "Quindi?" chiesi. Quindi dovevo fare un altro versamento di lire ventimila. "Ma alle poste ne ho già versate ventisei" ribattei per l'ennesima volta. Scossero entrambe la testa scoraggiate. "Che simpatico" mi dissero: non volevo accettare la realtà. Che era la seguente: le poste avevano ricevuto seimila lire e basta.

25 Le altre venti le aveva intascate l'impiegato. "E allora che faccio?" chiesi. Loretta mi rispose: "O versa le ventimila che ci deve o le tagliamo il gas. Questo è un paese di merda, caro signore".

"Di merda" confermò subito l'impiegata bruna e aggiunse: "Però faccia un esposto per il recupero del danaro: non bisogna mai lasciar correre". Quindi per
30 consolarmi, ma anche per concertare come fargliela pagare al postelegrafonico che mi aveva derubato, volle offrirmi un caffè. "Non è granché" disse "ma ci dobbiamo accontentare" e infilò i gettoni nella macchina. Mormorai: "Non vorrei farle perdere altro tempo... la gente aspetta...". Lei fece spallucce graziosamente, disse: "Perdere tempo? È un dovere. Mi pagano apposta". E si presentò: Giuliana.

L'autore

Nato a Napoli nel 1943. Giornalista, scrittore e sceneggiatore, è stato per molti anni insegnante di scuola. Dal mondo scolastico, che conosce molto bene, ha tratto spunti umoristici e satirici per opere come *Il salto con le aste, Fuori registro, Ex cattedra,* da cui sono stati tratti una commedia, *Sottobanco* e il film *La scuola* del regista Daniele Luchetti. Nel 2001 ha vinto il Premio Strega con *Via Gemito*. Recentemente ha pubblicato *Labilità*.

Il libro

Approssimazione per difetto è un racconto breve che fa parte della raccolta *La retta via*. Si svolge a Roma dove il narratore manca tutti i suoi obiettivi e si muove male tra persone che non ama e non stima e di cui vede con ironia l'estraneità ai suoi valori.

Tra le righe

1. Quanti e quali impiegati della società del gas si incontrano in questo testo?

2. Gli uffici postali in Italia usano ancora la sigla PT per indicare i servizi di Posta e Telegrafo. Come viene chiamato ironicamente nel testo l'impiegato disonesto?

....

3.a Rispondete.

righe 22-23: "scossero entrambe la testa". Per esprimere che cosa?
riga 33: "fece spallucce". Per esprimere che cosa?

b. Quali di queste immagini corrispondono ai gesti descritti sopra?

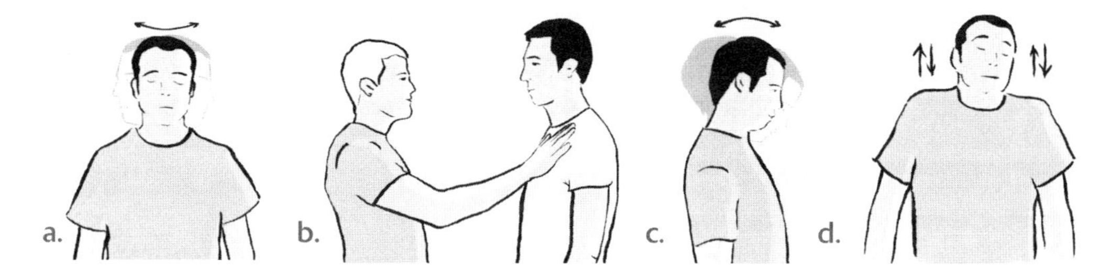

4.a Cercate nel testo un'espressione di leggera incredulità.

riga 18: ....

b. Cercate nel testo un'espressione ripetuta **molto** volgare che dà su qualcosa o qualcuno un giudizio **molto** negativo.

....

5.a Dite se nel testo Giuliana, Loretta e il narratore si danno del **tu** o del **lei**.

....

b. Da quali parole dei loro dialoghi si può capire?

....

6.a In questo testo si parla molto di "lire". Che cosa erano le "lire" prima del 2002?

....

b. Da che cosa sono state sostituite?

....

Parliamo!

1. Ricostruite in prima persona l'episodio del pagamento contestato.

2. Raccontate un problema burocratico simile capitato a voi o a qualcuno che conoscete.

3. Siete entrati in un ufficio pubblico. Descrivete gli impiegati e come si comportano.

4. Insieme con un compagno di corso, improvvisate un dialogo in cui uno è un cliente con un problema da risolvere e l'altro è un impiegato.

Solo io posso sapere come uscire di qui, si disse Dedalo, e non lo ricordo.

In quel momento sbucò in un'ampia sala rotonda, affrescata con paesaggi assurdi. Quella sala la ricordava, ma non ricordava perché la ricordava. C'erano dei sedili foderati di stoffe lussuose e, in mezzo alla stanza un ampio letto. Sul bordo del letto era seduto un uomo snello, dalle agili e giovanili fattezze. E quell'uomo aveva una testa di toro. Teneva la testa fra le mani, e singhiozzava. Dedalo gli si avvicinò e gli posò una mano sulla spalla. Perché piangi?, gli chiese. L'uomo liberò la testa dalle mani e lo fissò con i suoi occhi di bestia. Piango perché sono innamorato della luna, disse, l'ho vista una volta sola, quando ero bambino e mi affacciai a una finestra, ma non posso raggiungerla perché sono imprigionato in questo palazzo. Mi contenterei solo di stendermi su un prato, durante la notte, e di farmi baciare dai suoi raggi, ma sono imprigionato in questo palazzo.

E ricominciò a piangere.

E allora Dedalo sentì un grande struggimento, e il cuore gli batteva forte in petto. Io ti aiuterò a uscire di qui, disse.

L'uomo-bestia sollevò di nuovo la testa e lo fissò con i suoi occhi bovini. In questa stanza ci sono due porte, disse, e a guardia di ciascuna porta ci sono due guardiani. Una porta conduce alla libertà e una porta conduce alla morte. Uno dei guardiani dice solo la verità, e l'altro dice solo la menzogna. Ma io non so quale è il guardiano che dice il vero e quale il guardiano che mentisce, né quale è la porta della libertà e quale la porta della morte.

Seguimi, disse Dedalo, vieni con me.

Si avvicinò a uno dei guardiani e gli chiese: quale è la porta che secondo il tuo collega conduce alla libertà? E poi cambiò porta. Infatti, se avesse interpellato il guardiano menzognero, costui, cambiando l'indicazione vera del collega, gli avrebbe indicato la porta del patibolo; se invece, avesse interpellato il guardiano veritiero, costui, dandogli senza modificarla l'indicazione falsa del collega gli avrebbe indicato la porta della morte.

Varcarono quella porta e percorsero di nuovo un lungo corridoio. Il corridoio era in salita e sboccava in un giardino pensile dal quale si dominavano le luci di una città ignota.

Ora Dedalo ricordava, e era felice di ricordare. Sotto i cespugli aveva nascoste penne e cera. Lo aveva fatto per sé, per fuggire da quel palazzo. Con quelle penne e con quella cera costruì abilmente un paio di ali e le applicò alle spalle dell'uomo-bestia. Poi lo condusse sul bilico del giardino pensile e gli parlò.

La notte è lunga, disse, la luna mostra la sua faccia e ti aspetta, puoi volare fino a lei.

L'uomo bestia si girò e lo guardò con i suoi occhi miti di bestia. Grazie, disse.

Vai, disse Dedalo, e gli dette una spinta. Guardò l'uomo bestia che si allontanava con ampie bracciate nella notte, e volava verso la luna. E volava, volava.

L'autore

Nato a Pisa nel 1943. È fortemente legato alla cultura portoghese e ha tradotto in italiano l'intera opera di Fernando Pessoa. La sua vasta produzione letteraria si muove fra la ricerca interiore e l'impegno intellettuale e civile. Tra i suoi libri ricordiamo il primo romanzo *Piazza d'Italia*, poi *Donna di Porto Pin, Notturno indiano*, i racconti *Piccoli equivoci senza importanza* e *I volatili del Beato Angelico, Gli ultimi tre giorni di Fernando Pessoa, Sostiene Pereira*, da cui è stato tratto un film, *La testa perduta di Damasceno Monteiro, Autobiografie altrui* e, nel 2004, *Tristano muore*. È stato tradotto in oltre trenta lingue e ha ricevuto numerosi e prestigiosi riconoscimenti anche all'estero.

Il libro

Il libro contiene i sogni fantastici di venti artisti amati dall'autore. Tra questi c'è il sogno di Dedalo, personaggio della mitologia greca, che aveva costruito a Creta il labirinto del palazzo di Minosse. Nel labirinto era rinchiuso il mostro, mezzo uomo e mezzo toro, chiamato Minotauro. Secondo la leggenda il mostro fu ucciso da Teseo mentre Dedalo, a sua volta imprigionato nel palazzo, riuscì a fuggire grazie alle ali di cera che si era ingegnosamente costruito. Ma nel "sogno" immaginato da Tabucchi il mostro è dolente e gentile e Dedalo offre anche a lui le ali e la libertà.

Tra le righe

1. Rispondete alle seguenti domande sul testo.

Che forma ha la sala dove entra Dedalo? ....

Questa sala è piccola o grande? ....

Che cosa rappresentano gli affreschi? ....

Che mobili ci sono? ....

Quante porte ci sono? ....

Dove conducono le due porte? ....

Chi sta a guardia delle porte? ....

Qual è la differenza fra i due guardiani? ....

Di chi è innamorato l'uomo bestia? ....

2. Come vengono descritti nel testo "gli occhi" del Minotauro?

riga 8: .... *riga 16:* ....

riga 37: ....

3. Cercate nel testo la domanda con cui Dedalo risolve il problema del Minotauro, riuscendo a liberarlo.

....

4. A che cosa sono riferiti nel testo gli elementi in neretto?

riga 1: e non **lo** ricordo
riga 3: perché **la** ricordava
riga 6: **gli** si avvicinò
riga 8: **lo** fissò
riga 9: **l'**ho vista una volta sola
riga 19: **l'altro** dice solo la menzogna
riga 23: **gli** chiese
riga 25: **costui**
riga 27: **costui**
riga 27: senza modificar**la**
riga 27: **gli** avrebbe indicato la porta della morte
riga 33: **lo** aveva fatto per sé
riga 34: **le** applicò alle spalle dell'uomo-bestia
riga 35: **lo** condusse sul bilico del giardino
riga 36: puoi volare fino a **lei**
riga 37: **lo** guardò con i suoi occhi miti di bestia
riga 38: **gli** dette una spinta

5. Completate.

bovini; vuol dire tipico dei ....

un giardino pensile; è un giardino che sta ....

ignota; è un parola un po' più letteraria per dire ....

patibolo; è il luogo dove si esegue la condanna a ....

menzognero; è una parola letteraria per dire ....

sono im**prigion**ato; vuol dire "sono in ...."

ricominciò; vuol dire "cominciò ...."

gli si av**vicin**ò; vuol dire "gli andò ...."

si al**lontan**ava; vuol dire "andava ...."

Parliamo!

1. Insieme con un compagno di corso, impersonate Dedalo e il Minotauro leggendo o, meglio, recitando a memoria **solo** le parti dialogate del testo.

2. Impersonate il Minotauro e raccontate alla luna come e da chi siete stato liberato.

3. Esponete una vostra ricerca sulle leggende del Minotauro, del labirinto di Creta e di Dedalo.

4. Commentate la frase finale del testo "E volava, volava" e discutete in gruppo il valore della libertà.

Per dove parte questo treno allegro
Sandro Veronesi

1 D'un tratto Rita mi fu davanti, quando ancora pensavo d'essere in tempo a scappare. Pronunciò il mio nome, stupita, ma nonostante fossi andato io a trovarla all'improvviso, parve anche a me d'esser colto di sorpresa. Avevo già vissuto quel momento decine di volte con l'immaginazione, ma ora che era arrivato per davvero
5 non sapevo cosa fare. Mi lasciai abbracciare, baciare, e dopo sei anni le nostre cellule tornarono a scambiarsi di posto, ma non era come l'avevo immaginato.

La bagnina spiava il nostro abbraccio, sospettosa, da sopra le lenti dei suoi occhialetti.

Ci sedemmo su due poltrone di tela, celestine, uno di fronte all'altra, consumando il rito dei come va, fatti vedere, non c'è male, ti vedo bene, quanto tempo, che
10 sorpresa, e insomma, sei sempre uguale, anche tu. Lei sorrideva e perlomeno mi accorsi che era davvero contenta di rivedermi, però non era sempre uguale, era diversa: era più magra, il viso più tirato, l'espressione molto più affaticata. Aveva un costume giallo, intero, che le faceva qualche piega all'altezza del seno e della vita. Le spalle che appoggiò allo schienale erano più ossute, le gambe che accavallò mi
15 parvero come prosciugate. Non stava male, certo, era sempre bella, e la sua bocca sempre magnifica, disegnata al contrario come in certe fanciulle degli affreschi di Filippo Lippi: ma era *invecchiata*.

Sebbene si trattasse, dopo sei anni, della cosa più naturale del mondo, mi fece ugualmente impressione.

20 – Che fai da queste parti?

– Come mai in spiaggia così presto?

– Quanto ti trattieni?

– Stai qua tutto il mese?

– A Roma che fai?

25 – Continui a recitare?

Accavallammo una sull'altra le nostre domande, senza risponderci. Io non rispondevo perché mi vergognavo del nulla che avrei dovuto raccontare e se nemmeno lei rispondeva, pensai, voleva dire che anche lei si vergognava di qualcosa.

– Sai – disse d'improvviso – Ho avuto un bambino.

Sandro Veronesi • Per dove parte questo treno allegro

L'autore

Nato nel 1959. Svolge una intensa attività di collaborazione a riviste e giornali e ha scritto *Occhio per occhio*, un'inchiesta sulla pena di morte. *Per dove parte questo treno allegro* è il suo primo romanzo cui sono seguiti *Gli sfiorati, Venite, venite B.52* e *La forza del passato*, una storia di spionaggio. Da quest'ultimo libro il regista Piergiorgio Gay ha tratto un film con lo stesso titolo.

Il libro

In *Per dove parte questo treno allegro*, un padre e un figlio, dopo un disastroso fallimento finanziario ma non solo finanziario, rivisitano i luoghi dove erano stati ricchi e dove ritrovano persone un tempo care. Con le parole del figlio che racconta la storia, il libro è l' "epopea di una giornata, prima di diventare grandi".

Tra le righe

1. Alle *righe 11-12* si dice che Rita "era diversa". Fra le espressioni che seguono segnate quali rappresentano la sua "diversità".

- ☐ più magra
- ☐ il viso più tirato
- ☐ l'espressione molto più affaticata
- ☐ aveva un costume giallo
- ☐ le spalle erano più ossute
- ☐ le gambe che aveva accavallato
- ☐ le gambe mi parvero come prosciugate
- ☐ era sempre bella
- ☐ la sua bocca sempre magnifica
- ☐ era invecchiata

2. Ricopiate dalle *righe 9-10* le espressioni abituali di quando ci si incontra.

....

....

....

3. Sulla base delle seguenti parole ed espressioni tratte dal testo, dite dove si svolge l'incontro.

bagnina • poltrone di tela • costume giallo intero • in spiaggia

....

4. A *riga 17* compare "Filippo Lippi". Dalle parole "disegnata" e "affreschi" della stessa riga ricavate chi era.

....

5. Senza guardare il testo, cercate di ricordare le parole ed espressioni sostituite qui dalle parti in neretto.

nonostante fossi andato a trovarla **senza avvertire prima**
sembrò anche a me
l'espressione molto più **stanca**
la sua bocca sempre **molto, molto bella**
in certe **ragazze** degli affreschi di Filippo Lippi
ma era **diventata più vecchia**
quanto **rimani**?
neanche lei rispondeva

Parliamo!

1. Dopo molto tempo, incontrate una persona che conoscevate bene. Chi è questa persona? È rimasta uguale o è cambiata? Poco? Molto? In che modo?

2. Insieme a un compagno di corso improvvisate un dialogo con qualcuno che non vedevate da tempo. Potete usare frasi prese dal testo.

3. Raccontate l'episodio riportato nel testo dal punto di vista di Rita.

4. Descrivete una mattinata estiva in spiaggia.

Brother and Sister
Simona Vinci

1 Mat prende la chitarra. La tiene sempre al riparo in un angolo del salotto, dietro il vaso del cactus, sopra una mensola troppo alta perché Billo riesca ad arrivarci con facilità. È successo una volta ed è bastato: con le forbici da cucito della mamma, quel cretino ha tagliato tre corde, così, giusto per vedere che effetto faceva, se dopo 5 suonavano meglio. Era tornato da scuola alle due e lo aveva trovato seduto per terra, le forbici nella destra e la corda di sol nella sinistra, pizzicata tra pollice e indice, le lame già quasi chiuse. Zac. L'aveva fatto in quel momento preciso, guardandolo dritto negli occhi e lui non aveva avuto il tempo di fermarlo. Un'espressione innocente su quella faccia d'angelo che a Mat aveva fatto andare il sangue alla testa. Per una 10 frazione di secondo aveva pensato che l'avrebbe ucciso. Solo una frazione di secondo, ma in quel segmento infinitesimale di tempo lui era lucido, lucidissimo. Ricorda la rabbia furiosa che gli pompava nel sangue.
E ricorda anche come era defluita improvvisa, lasciandolo lì in piedi, svuotato, a guardare suo fratello che tirava il moncherino della corda e finiva di sfilacciarlo.

15 La gente rimane sempre sconvolta dai delitti in famiglia: genitori che ammazzano i figli, figli che ammazzano i genitori, e i fratelli, gli zii, i nonni, magari anche il cane e il gatto e il canarino e i pesci rossi. Quando ne capita uno, alla televisione e sui giornali non si parla d'altro per mesi. Stanno tutti lì attoniti, a farsi domande inutili e a costruire teorie complicatissime per attribuire le colpe a una qualche entità 20 superiore, e nessuno che trovi mai una risposta. Mat, invece, rimane stupito per tutte le infinite volte che non succede proprio niente. Eppure, basterebbe una corda di chitarra tagliata in due. Un barattolo di crema lasciato aperto. Il volume di un disco troppo alto o troppo basso. Ripensa alle porte sbattute, ai piatti lanciati per aria da sua madre, alle parole orrende che rimbalzavano da un lato all'altro della 25 tavola apparecchiata, all'espressione che deformava il volto di suo padre certe volte. Questo è pazzesco, che tutta quella violenza, anni e anni giorno dopo giorno dopo giorno, goccia dopo goccia dopo goccia, esploda così e si accontenti di qualche stoviglia rotta, di qualche vaffanculo urlato a pieni polmoni.

L'autrice

Nata a Milano nel 1970, il suo primo romanzo è *Dei bambini non si sa niente*. Ha poi pubblicato la raccolta di racconti *In tutti i sensi come l'amore* e gli altri romanzi *Come prima delle madri* e *Brother and Sister*.

Il libro

Rimasti soli dopo la morte della madre, i due adolescenti Cate e Mat e il loro fratellino più piccolo Billo, in una lunga notte, aspettando l'intervento dei servizi sociali, vivono ricordi, inquietudini e paure per l'imminente separazione e la fine della vita cui erano abituati.

Tra le righe

1. A che cosa sono riferiti nel testo gli elementi in neretto?

riga 5:	**lo** aveva trovato
riga 6:	le forbici nella **destra**
riga 6:	la corda di sol nella **sinistra**
riga 7:	**le lame**
riga 7:	**l'aveva fatto**
riga 7:	guardando**lo** dritto negli occhi
riga 8:	il tempo di fermar**lo**
riga 14:	finiva di sfilacciar**lo**
riga 17:	quando **ne** capita **uno**
riga 24:	da un lato all'**altro**
riga 27:	che tutta quella violenza... esploda **così**

2.a Cercate nel testo una parola di insulto che significa "poco intelligente".

....

b. Cercate nel testo un'espressione corrispondente a "lo aveva fatto arrabbiare moltissimo".

....

3. Cercate nel testo una parola "onomatopeica", cioè che imita un suono, e dite di che suono si tratta.

....

4. Completate.

"quel segmento **infinitesimale** di tempo" vuol dire

"un tempo molto, molto ...."

"stanno lì tutti **attoniti**" vuol dire

"molto, molto ...."

"parole **orrende**" vuol dire

"parole molto, molto ...."

"le **infinite** volte" vuol dire

"le volte molto, molto ...."

"questo è **pazzesco**" vuol dire

"questo è molto, molto ...."

"una **frazione di secondo**" è

"un tempo molto, molto ...."

"urlato a **pieni polmoni**" vuol dire

"a voce molto, molto ...."

5. Accoppiate le seguenti parole del testo con la categoria a cui appartengono.

Una **chitarra** è ....

Un **cactus** è ....

Un **salotto** è ....

Un **pollice** è ....

Un **indice** è ....

Sol è ....

Un **canarino** è ....

Un **barattolo** è ....

I **polmoni** sono ....

un recipiente
una nota musicale
una pianta grassa
un organo interno del corpo
un dito
uno strumento musicale
un uccellino
un dito
una stanza della casa

Parliamo!

1. Raccontate la scena in cui Billo taglia le corde della chitarra dal punto di vista di Mat.

2. Raccontate la stessa scena dal punto di vista di Billo.

3. Riportate dalle cronache o dalla vostra esperienza un'esplosione di violenza per motivi di poca importanza.

4. Quali sono le manifestazioni esteriori della rabbia? Che cosa fa la gente quando si arrabbia? Potete usare alcune espressioni del testo.

5. Un vostro compagno di corso è molto arrabbiato. Cercate di calmarlo con parole adeguate.

Valentino Zeichen

POLITICA ESTETICA

1 Straniero, lo sguardo vagante
inquadra il Campidoglio
già colle, e a fianco
Santa Maria all'Aracoeli
5 che una scalinata folle
innalza a pari livello.
Riposa l'occhio per alcuni
istanti secolari, e noterai
la mole del Vittoriano
10 che schiaccia l'Aracoeli
contro il Campidoglio.
I monumenti "sgomitano"
e le loro "altezze"indicano
le quote del prestigio.

L'autore

È nato nel 1938 a Fiume, oggi in Croazia, e vive a Roma. Noto poeta, ha pubblicato negli anni numerose raccolte di versi: *Area di rigore, Ricreazione, Ricambi, Pagine di gloria, Museo interiore, Gibilterra, Metafisica tascabile* e *Ogni cosa a ogni cosa ha detto addio*. Caratteristica della sua poesia sono i toni ironici e disincantati.

Tra le righe

1. Rispondete.

In quale città italiana ci troviamo? ....

Quali sono i monumenti citati?

....

....

....

Quale di queste immagini corrisponde a ciascuno dei monumenti ?

a

b

a ....

....

b ....

....

c

c ....

....

Che cos'è il Campidoglio?

....

Che cos'è Santa Maria all'Aracoeli?

....

Che cos'è il Vittoriano?

....

2. Rispondete.

A chi si rivolge questa poesia? ....

Che cosa deve fare lo straniero? ....

....

....

3. Rispondete.

"sgomitano", che cosa vuol dire questa parola?
perché è tra "virgolette"?
perché la parola "altezze" si trova tra virgolette?

4. L' "ossimoro" è una figura retorica in cui vengono accostate due parole apparentemente contrapposte. Quale fra le seguenti coppie di parole del testo è un ossimoro?

☐ sguardo vagante ☐ scalinata folle ☐ istanti secolari

5. Dite se le frasi seguenti sono **vere** o **false** rispetto al contenuto del testo.

	V	F
Il Campidoglio è uno dei sette colli dell'antica Roma.	☐	☐
La piazza del Campidoglio e la chiesa dell'Aracoeli hanno la stessa altezza.	☐	☐
Il Vittoriano è un monumento piccolo e discreto.	☐	☐
La piazza del Campidoglio, la chiesa dell'Aracoeli e il Vittoriano sono stati costruiti a distanza di secoli.	☐	☐

Parliamo!

1. Dite quello che sapete su Roma e i suoi monumenti.

2. Parlate di un monumento di qualsiasi paese che per voi è particolarmente rappresentativo.

3. "I monumenti sono simboli di potere". Commentate e discutete questa frase.

4. Fate ed esponete una ricerca sui tre monumenti menzionati nella poesia.

Soluzioni degli esercizi

Niccolò Ammaniti, **Io non ho paura** *(pagina 9)*

1. a. "hai fatto i conti senza l'oste"; b. "non hai calcolato bene gli ostacoli che potevi incontrare"; c. "Felice Natale!" è una espressione comune per fare gli auguri nel periodo natalizio.
2. io ho fatto il mio dovere; ti avrei dovuto sparare; se mi ci fossi tuffato dentro; basta che tu segua la discesa.
3. sennò a quest'ora ti avrei ucciso; Salvatore, che ci fai qui?
4.a fessacchiotto; **b.** ficcanaso.
5.a grosse suole di gomma con scanalature; **b.** scarponi di tipo militare molto usati soprattutto dai giovani.
6.a l'immagine *c.*; **b.** con le parole "qua la mano".
7. Gruppo 1: bosco; boschetto; alberi; grano - **Gruppo 2:** 127; sportello; sedile; volante - **Gruppo 3:** fianco; gamba; braccio; sedere; orecchio.
8. *riga 6* tutto acciaccato; *riga 24* il resto mi è morto in bocca; *riga 28* piazzato.

Stefano Benni, **Achille Piè Veloce** *(pagina 13)*

1. Ulisse; un vecchio; una donna con un collo di volpe; un signore distinto; un tailandese; un ragazzo; una ragazza; una ragazzina con le trecce.
2. il clacson; i fari; la parte frontale dell'autobus; i passeggeri che vogliono salire; le ruote; la freccia; il rumore dei freni; le porte; i passeggeri che vogliono salire; un passeggero che scende; le porte; la porta; la fiancata dell'autobus; l'autobus.
3. per dare un'idea di qualcosa di eccezionale e molto drammatico.
4. rosso; rosso vivo; giallo scolorito; di età avanzata; i libri di scuola.
5. il borsello, oggi un po' in disuso, è stato l'equivalente per gli uomini della borsetta da donna; i capelli puffo è una moda dei giovani di tingersi i capelli di blu come i puffi, personaggi dei cartoni animati.

Enrico Brizzi, **Jack Frusciante è uscito dal gruppo** *(pagina 17)*

1. diciassette; tutti i giorni; con la macchina da scrivere; un sole, un prato, un fiore a cinque petali; con le matite colorate; con il computer; New York, 10 punti; in centro; perché ci va in motorino.
2. iniziare una storia d'amore.
3. fottuto.
4. città: bar; negozi; cinema; centro; piazza; **natura:** sole; prato; fiore; erba; **scrittura:** bigliettini; quaderni; lettere; macchina da scrivere; fogli; computer; messaggi; parole.
5. *Il piccolo principe* di Antoine de Saint-Exupéry.
6. il sole, il prato, il fiore; Aidi; storia di Alex e Aidi; ad Alex; Aidi; Alex e Aidi; un malinteso; alla possibilità di mettersi con lui.
7. computer è il nome abituale in italiano del calcolatore elettronico; un timer è un congegno per azionare a tempo il forno, la caldaia, etc. ma anche bombe o altri ordigni.

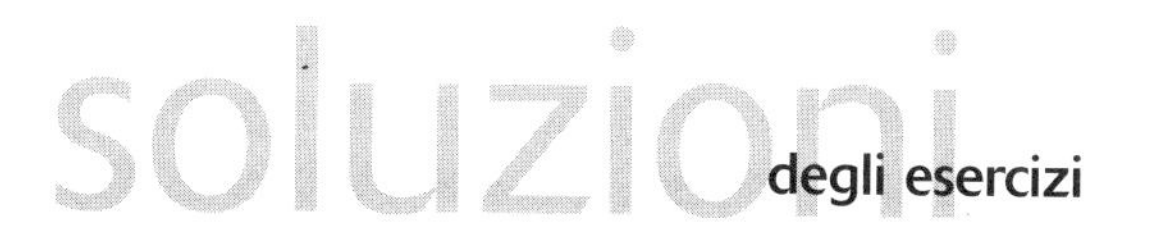

Andrea Camilleri, **Il ladro di merendine** *(pagina 21)*

1. sì; sì; no; sì; no; no; sì; sì.
2. appetito; torcendo le budella; si sedette; Lei; si ricordò; mezzo chilo.
3. trattoria; San Calogero; Salvo; Punta Raisi; Questore.
4. amore; perdonami; a presto.
5. un vestito elegante per la cena.
6. arrabbiata; frigorifero; ti sei preoccupato?; si era dimenticato di lei.
La situazione gli era favorevole.

Gianrico Carofiglio, **Testimone inconsapevole** *(pagina 25)*

1. **A** d'argento, di bronzo. **B** welter, medio. **C** juniores.
2. pugilato, palestra, punching ball, juniores, welter, pesi medi, pugno, campione.
3. a fare pugilato; le botte; l'odore; che facevo pugilato; che io vincessi la medaglia d'argento; alla panchina; essersi seduto; della panchina; il pastore tedesco; il corpo; medaglia.
4. un bosco; un cane; uno sport; una malattia delle pelle; un tipo di scuola; un attore comico; un materiale; una parte di alcuni mobili; militari con compiti di polizia.
5. *riga 7* un signore; *riga 7-8* sulla settantina; *riga 14* a lungo; *riga 29* dei miei pari peso.
6. perché le madri non amano gli sport violenti per i loro figli; perché era morto; perché era morto; perché non permetteva a nessuno di avvicinarsi.
7. istruttore di pugilato; professore di storia e filosofia.

Raffaele Crovi, **Pianeta Terra** *(pagina 29)*

1. lei; interpretarono; disincantati, cambiati, invitati; dimessa; affetti; incorniciare, suonare.
2.a G; V; V; G; G; V; V; G; G; G; G; **b.** la lista degli invitati, le letture della messa; **c.** un arazzo da tessere, uno strumento da imparare a suonare.
3. la messa; la festa.
4. i brani tratti dall'Antico e dal Nuovo Testamento che si leggono a voce alta durante la messa; mandorle o cioccolata ricoperte di zucchero cotto, di colore bianco, tradizionalmente distribuiti dagli sposi dopo il matrimonio.
5. matrimonio; chi sta per sposarsi; latina; fotografia; femminile; cornice.

Andrea De Carlo, **Pura vita** *(pagina 33)*

1. un padre e una figlia; in una stalla; notte; fa freddo; di un cane che hanno trovato; lui vuole liberarsi del cane; lei vuole tenerlo con sé.
2.a femmina; giovane; grande; è un incrocio; marrone chiaro; **b.** cagna; **c.** molosso, levriero; **d.** uggiolare, guaire.
3. **Parti riferite solo a esseri umani:** gambe; guance; mani; faccia. **Parti riferite a esseri umani e animali:** cuore; occhi; testa. **Parti riferite solo ad animali:** zampe;

muso; pelo.
4. *riga 1* nell'oscurità; *riga 6* al bagliore; *riga 10* scrollarsi di dosso; *riga 13* non sta ferma un attimo; *riga 20* non ce la togliamo più di torno.
5. piccolo; non crede; piccolo; leggera, di solito con maniche corte; di nuovo; di nuovo.

Gianni D'Elia, **Politica del boia** *(pagina 37)*

1. naturale; morte; memoria; muore; ingiustamente, vivente, innocente, gente, inutilmente, mostruosamente, disumanamente.
2. di morte; morte; la pena di morte; bisogna.
3. *righe 5 e 6:* democrazia bella forte delle camere della morte.
4. civile barbarie.
5. maschile; mettere al bando, eliminare; dappertutto.
6. legalmente, ingiustamente, ferocemente, inutilmente, mostruosamente, disumanamente.
legale, ingiusto, feroce, inutile, mostruoso, disumano.

Erri De Luca, **Aceto, arcobaleno** *(pagina 41)*

1. la metà; la sessantesima parte di un'ora; concentrazione spirituale.
2. a ovest e a est dell'Italia; ai lati d'Italia; ai lati d'Italia.
3. rebus: A; cruciverba vuoto: B.
4. alle prostitute; prostituzione; tutti.
5. è pericoloso scorgersi, vedersi; gli studenti pensano che le immagini dei loro insegnanti non sono belle.
6. foglio - foglie; il cambiamento ogni volta di una sola lettera.
7. piccoli busti in gesso, quadri con animali, frutti di marmo, solidi geometrici, dadi, un amo, una galleria per trenino elettrico; gli oggetti raffigurati nei rebus.
8. il numero di lettere di ogni parola della soluzione; *me ne vado di casa.*
9. la parola "cucchiaino"; risolvere velocemente i giochi enigmistici; le parole; il padre; l'anagramma a frase.
10. *riga 4:* da essa doveva scaturire una frase intera; *riga 10:* eri invocato... a cavare d'impaccio signore e oziosi; *riga 17-18:* venne fatto trovare nel bagno... con la lieve modifica; *riga 19-20:* un silenzio viziato di finestre chiuse e librerie sovraccariche; *riga 27-28:* nella tua camera... si ammucchiavano varie anticaglie; *riga 31:* a quel tempo non avrei saputo intenderlo.

Marcello Fois, **Dura madre** *(pagina 47)*

1. il padre, la madre (la vecchia Marongiu), i tre figli Raffaele, Ettore e Michele; il calzolaio; erano lontani parenti; nemmeno dieci anni; più grande (viene chiamata "la grandetta"); perché erano molto poveri; per avere un aiuto in casa; la **-u** finale.

2.a e vabbene; facevano; una barca di; sbrigare le cose; che; mica; farsi gli affaracci loro; aveva vinto un terno al lotto; salata; poco e niente. **b.** guai a toccare Ettore; praticamente lei ha allevato Raffaele; Palmira stava pagando salata l'ospitalità; lui stava poco e niente in casa.

3. buonissima; si erano impietositi.

4. di disinteresse e di incertezza; l'immagine *c*.

5. serva.

6.a della famiglia Canepa; i fratelli; Palmira; alla famiglia Marongiu; la vecchia Marongiu; rinunciano al comando per farsi gli affaracci loro; che Palmira faceva la serva; al fatto che Palmira faceva la serva; sembrava meno espansiva; a Palmira; **b.** ci prendiamo la grandetta; non avrebbe avuto.

7. una faccenda brutta e difficile; un brutto carattere.

Marco Lodoli, **I fannulloni** *(pagina 51)*

1. sulle coste della Sicilia occidentale; a Messina; lo stretto; a Roma. A Genova.

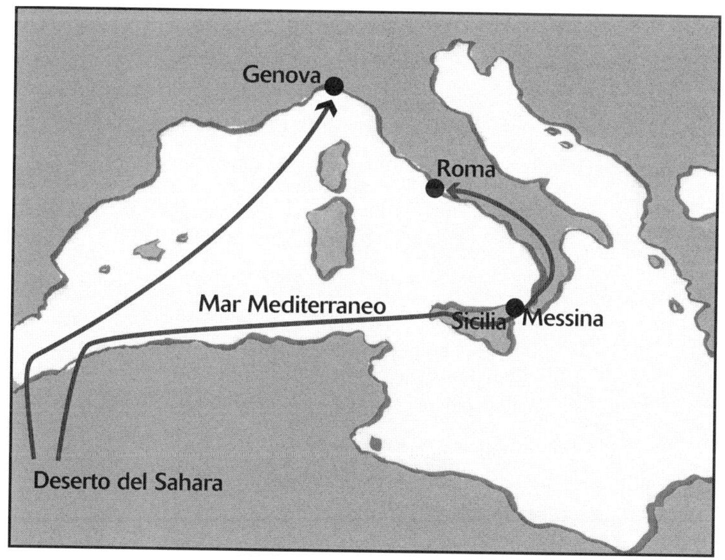

2. a Gabèn, di andare via; il volto della ragazza; la ragazza; nel piccolo porto sul Mediterraneo; lo yacht; yacht; al cartello; che non era tutto verissimo; Gabèn e gli altri negri; il container.

3. piangeva, perché il figlio andava lontano; in segno di gioia per essere arrivato; di vino.

4. *riga 7* come una nuvola; *riga 18* come città.

5. porto; Mediterraneo; nave; pescatori; mare; pesci; yacht; correnti; coste; stretto; nuoto; transatlantici.

6. uno yacht è una barca o cabinato a vela o a motore; un container è un grande contenitore metallico per il trasporto di merci.

Carlo Lucarelli, **Il giorno del lupo** *(pagina 55)*

1. In Emilia-Romagna; in Sicilia; di appartenere alla mafia.
2. Una connotazione negativa; un brutto gesto molto volgare; all'immagine *a*.
3. Che razza di maleducato; Madonna che impressione.
4. **riferite al sangue:** fucile; fucile a pompa; bum bum. **riferite all'autostrada:** area di servizio; area di parcheggio; autogrill; Tir; macchina.
5. un tipo di panino servito nell'autogrill; una zona di ristoro nelle autostrade; maleducati; il rumore di uno sparo; che ha undici anni; un enorme camion per trasporti internazionali.
6. il cassiere, dalla parola "scontrino"; per nascondere il fucile; solo Enrico si era accorto che l'uomo aveva un fucile, l'uomo aveva ordinato al bar **tre** birre in lattina.

Valerio Magrelli, **Didascalie per la lettura di un giornale** *(pagina 59)*

1. segreto; sesamo; porta; grotta; scrigni; gioielli; ladri.
2. il segno *c.* * (il segno *a.* # si chiama "cancelletto", il segno *b.* @ si chiama "chiocciola", il segno *d.* ( ) si chiama "parentesi", il segno *e.* % indica il percento o percentuale). Per valutare il film.
3. la sala cinematografica; il biglietto; lo schermo; i critici; gli asterischi.
4. si apre completamente; maschile; che sono carichi di armi; di nuovo; il ricavato di una rapina.
5. vero; falso; vero; vero; vero.

Laura Mancinelli, **Attentato alla Sindone** *(pagina 63)*

1. via Sant'Ottavio; via Verdi; il Duomo; via Po; piazza Castello; piazza Statuto; via Pietro Micca; via Garibaldi. **a.** Giuseppe Verdi; **b.** il Po; **c.** Giuseppe Garibaldi.
2.

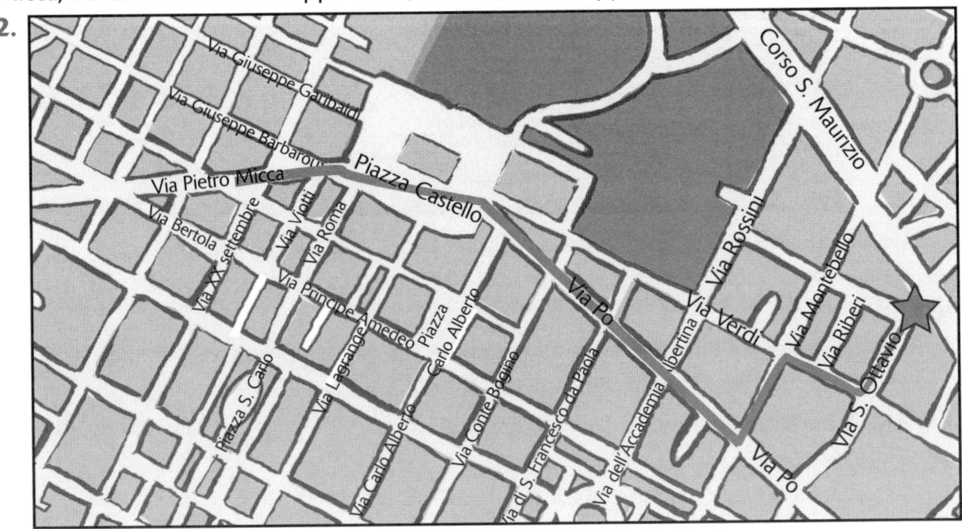

3. un percorso pedonale coperto appoggiato da un lato alle case e aperto all'esterno, tipico di zone fredde; barriera metallica.
4. Elementi urbani: scalinata; gradini; marciapiedi; portici; arcate; transenne. **Suoni:** vociare; frasi; parole; grida; richiami; sirene.
5. che non sapeva o non voleva dire; l'immagine *a*.
6. l'affollarsi all'uscita; a Bauducco; via Verdi; per via Verdi; vigile; a Bauducco; passi; piedi; via Garibaldi.
7. vigili urbani; militari.

Margaret Mazzantini, **Non ti muovere** *(pagina 67)*

1.a il padre della ragazza; alla ragazza in coma; Ada, il neurochirurgo, l'infermiera; **b.** Ada; Ada; l'infermiera; il neurochirurgo; Ada.
2. i ragazzi che vanno a scuola portano abitualmente i loro libri in uno zaino o zainetto; il diario di cui si parla qui è il quaderno su cui gli studenti annotano le lezioni e i compiti da fare.
3. tumefatto - gonfio; asettico - senza germi, non infetto; ipoteso - con pressione bassa; addominale - riferito al ventre, alla pancia; toracico - riferito al torace, al petto; TAC - un esame medico per diagnosi cliniche precise; ematoma - versamento di sangue in un tessuto in seguito a un trauma; dura madre - membrana che riveste il cervello.
4. per preparare la ragazza all'operazione senza farla muovere; in segno di forte emozione; perché è fortemente emozionata; per capire se e quanto somiglia al suo collega e amico; perché deve essere operata al cervello; per controllare i riflessi dell'occhio; per vederlo e leggerlo in trasparenza; in segno di tensione e nervosismo; perché vuole una risposta alla sua domanda e il collega non la ascolta.
5. sala operatoria; neurochirurgia; rianimazione; rianimatrice; infermiera; neurochirurgo; elettrocardiogramma, mascherina, monitor, radiogramma, TAC.
6. Tomografia Assiale Computerizzata.

Melania Mazzucco, **Vita** *(pagina 71)*

1.a una trappola; la scatola; l'ascensore. **b.** un negro ossuto e lucido di sudore; quest'uomo elegantissimo e impeccabile; il cannibale; l'uomo dell'ascensore.
2. ostile: il poliziotto; dei commessi biondi; il direttore del magazzino. **amichevole:** l'uomo dell'ascensore.
3. passato: Presa d'Africa del 1896; Menelik; Portanuova; Minturno; le streghe janare; i morti viventi. **presente:** un negro ossuto e lucido di sudore; Houston Street; stop those kids.
4. un luogo simile; Vita; Vita e Diamante; Vita e Diamante; l'uomo in divisa; il negro in divisa; a Vita; Vita e Diamante.
5. tartaruga; seta; cotone; ottone; catrame; oro.
6. *riga 3* indelebile; *riga 5* si misero; *riga 9* vasto; *riga 15* un pulsante; *riga 19* si replicava; *riga 22* degli almanacchi; *riga 28* musetto; *riga 34* minuscoli.

soluzioni degli esercizi

Sandro Onofri, **Registro di classe** *(pagina 75)*

1.a Collodi; **b.** il Grillo parlante - un personaggio un po' noioso che dà sempre "buoni consigli"; Pinocchio - un burattino di legno che alla fine diventerà un bambino vero; la fata turchina - una creatura magica buonissima sempre disposta ad aiutare Pinocchio; Lucignolo - un bambino che non ha voglia di studiare e diventerà un somaro; **c.** di chi ha il naso lungo; a chi ci spinge a studiare e a lavorare e a non metterci nei guai; di chi ci invita a divertirci invece di fare cose serie.
2. quel libro incredibile; la storia più bella che avessi mai letto; bei libri; questa storia eterna; un capolavoro.
3. un alunno; di Pinocchio; a spiegare l'importanza di Pinocchio; l'immagine; Pinocchio; l'immagine; in quel disegno; su settanta alunni, uno solo aveva letto Pinocchio; la storia del burattino; coi genitori; la storia; *Pinocchio*.
4. *riga 5* mi vengono in mente; *riga 8* mille; *riga 16* la vicenda; *riga 18* mandò in onda; *riga 20* indaffarati; *riga 23* stanchi morti; *riga 28* in attesa; *riga 29* all'edicola; *riga 35* meravigliati; *riga 37* rammentandomi.
5.a sedia; su; a metà; diritto; **b.** baby-sitter.

Francesco Piccolo, **Allegro occidentale** *(pagina 79)*

1.a zanzara - persona; la luce; che le zanzare attacchino anche gli altri; il telefonino; l'isola; mandare e ricevere messaggini etc. etc.; **b.** ti hanno punto le zanzare?
2. non c'è segnale, non c'è ricezione; perché i telefonini "non prendevano"; Sri Lanka.
3. gruppo 1: zanzare, ronzio, punture, grattata. **gruppo 2:** marmellata, piattino, colazione, burro; **gruppo 3:** segnale, musichetta, messaggino, telefonino.
4.a in segno di divertita perplessità; **b.** l'immagine *b.*
5. un piccolo piatto, di solito di tazza o tazzina; il telefono portatile, il cellulare; una casa piccola e modesta; un breve messaggio inviato col cellulare, un sms; un piccolo pullman; una breve musica di tono leggero.
6. di nuovo; dieci; dentro; musica; un tempo brevissimo; di nuovo; stupido; serpente; maschile; il piccolo schermo del telefonino dove compaiono i messaggi; tre, quattro.

Roberto Piumini, **Io mi ricordo quieto patato** *(pagina 83)*

1. giorno; attorno; giorno.
2. nemici: la tigre, il serpente, l'uomo. **minacce:** ti mangerò, ti strozzerò, ti sparerò.
3. negli occhi; nel sangue; negli zoccoli; nelle orecchie; nella coda; nel ventre; nella pelle.
4. a. e c.
5. rinoceronte, cerbiatto, tigre, serpente, leone.
6. giovane; fame; paura; la grande unghia dura resistente di cavalli, buoi, pecore etc.; pancia; duro; rivestimento osseo del corpo di alcuni animali.

Giuseppe Pontiggia, **Nati due volte** *(pagina 87)*

1. Ulisse - il re ed eroe greco protagonista dell'Odissea; Calipso - la ninfa che si innamora di Ulisse; Telemaco - il figlio di Ulisse e di Penelope; Nessuno - il nome con cui Ulisse si presenta a Polifemo; Atena - una dea greca; Penelope - la fedele moglie di Ulisse; i Proci - i pretendenti al trono di Ulisse; Nausicaa - la giovane figlia del re dei Feaci; Polifemo - il mostruoso gigante che vuole mangiare Ulisse e i suoi compagni; Ionesco - un autore del teatro dell'assurdo; Eden - il Paradiso terrestre.
2. *riga 9* Telemaco era "l'unico non disabile" presente sulla scena.
3. grande; piccole; piena; contento e soddisfatto; affamato; felice; deciso.
4. **cibo:** boccali di aranciata, panini farciti, fette di torta, pezzi di cioccolato. **teatro:** regia, recita, sipario, locandina, applausi, scena, platea, attori, pubblico. **vestiario:** gonnellino, saio, sandali.
5. mangiare con eccessiva discrezione e buona educazione.
6. il tendone; dei disabili; che il ragazzo piombasse contro il palo; tra lui e i disabili; Paolo; dei Proci; degli attori; in questa recita; gradini; Paolo; non piace.
7. laconico; levantine; ermeticamente; ignoto; divoravano; coniugale; utopia.

Clara Sereni, **Passami il sale** *(pagina 91)*

1.a lievito di birra; acqua; olio; zucchero; sale; farina; un uovo; semi di papavero; **b.** due ore e mezza (un'ora per la prima lievitazione, un'ora per la seconda lievitazione, trenta minuti per la cottura); **c.** mite.
2. un tazzone; una ciotola; un bicchiere; un pentolino.
3. a Giovanni, il pane; il quadretto di lievito di birra; la farina; la treccia di pasta; il forno; amica; di stare preparando il pane; l'amica; l'amica; l'odore; la tavola.
4. la tavola; del tempo a disposizione; da telefonate indesiderate; il lievito sciolto nell'acqua; per preparare il pane in tempo per la cena; perché ha paura di essere interrotta; perché non sono abituati a vederla a casa così presto; l'autrice si sente in colpa perché è poco presente in famiglia.
5. falso; falso; falso; falso.
6. *riga 4* una briciola di pane; *riga 5* cellulare; *riga 24* squilla; *riga 25* infilo.
7. la parte del frigorifero con la temperatura più bassa; congegno a tempo per accendere e spegnere caldaie, forni, etc. ma anche per far scoppiare bombe e altri ordigni.

Domenico Starnone, **La retta via** *(pagina 95)*

1. quattro; l'impiegata bruna, un tizio grasso e svogliato, un tale che stava parlando al telefono, Loretta.
2. il postelegrafonico.
3.a in segno di disapprovazione; per dire che il punto non è importante; **b.** scossero la testa - immagine a.; fece spallucce - immagine d.

4.a ma no; **b.** di merda.
5.a del lei; **b.** venga, versa, le tagliamo il gas, deve, caro signore, faccia un esposto, farle perdere.
6.a la valuta italiana; **b.** dall'"euro".

Antonio Tabucchi, **Sogni di sogni** *(pagina 99)*

1. rotonda; grande; paesaggi assurdi; dei sedili e un letto; due; una alla morte l'altra alla libertà; due guardiani; uno dice solo la verità, l'altro dice solo menzogne; della luna.
2. con i suoi occhi di bestia; con i suoi occhi bovini; con i suoi occhi miti.
3. *riga 23-24* "qual è la porta che secondo il tuo collega conduce alla libertà?"
4. come uscire; quella sala; all'uomo con la testa di toro; Dedalo; la luna; guardiano; a uno dei guardiani; il guardiano menzognero; il guardiano veritiero; l'indicazione falsa; a Dedalo; nascondere penne e cera; le ali; l'uomo bestia; la luna; Dedalo; all'uomo bestia.
5. buoi; in alto; sconosciuta; morte; bugiardo; prigione; di nuovo; vicino; lontano.

Sandro Veronesi, **Per dove parte questo treno allegro** *(pagina 103)*

1. sì; sì; sì; no; sì; no; sì; no; no; sì.
2. come va, fatti vedere, non c'è male, ti vedo bene, quanto tempo, che sorpresa, e insomma, sei sempre uguale, anche tu.
3. in uno stabilimento balneare.
4. un famoso pittore (fiorentino, del Rinascimento, 1406-1469).
5. *riga 3* all'improvviso; *riga 3* parve; *riga 12* affaticata; *riga 16* magnifica; *riga 16* fanciulle; *riga 17* invecchiata; *riga 22* ti trattieni; *riga 27* nemmeno.

Simona Vinci, **Brother and Sister** *(pagina 107)*

1. Billo; mano; mano; delle forbici; aveva tagliato la corda; Mat; Billo; il moncherino della corda; un delitto in famiglia; lato; con porte sbattute, piatti per aria e parole orrende.
2.a *riga 4* cretino; **b.** *riga 9* gli aveva fatto andare il sangue alla testa.
3. zac; il suono di un brusco taglio.
4. breve; stupiti; brutte; numerose; strano. breve; alta.
5. uno strumento musicale; una pianta grassa; una stanza della casa; un dito; un dito; una nota musicale; un uccellino; un recipiente; un organo interno del corpo.

Valentino Zeichen, **Ogni cosa a ogni cosa ha detto addio** *(pagina 111)*

1. a Roma; la piazza del Campidoglio, Santa Maria all'Aracoeli, il Vittoriano; a. Santa Maria all'Aracoeli, b. piazza del Campidoglio, c. Vittoriano. Il Campidoglio è una piazza progettata da Michelangelo, Santa Maria all'Aracoeli è una chiesa, il Vittoriano è il monumento al Milite Ignoto.

2. a uno straniero; inquadrare il Campidoglio, riposare l'occhio per alcuni istanti, notare la mole del Vittoriano.
3. farsi largo tra la folla a forza di gomito e, metaforicamente, farsi strada nella vita schiacciando gli altri; perché i monumenti non hanno "i gomiti" e non si muovono; perché ha il doppio significato di altezza fisica e di pretesa di nobiltà.
4. istanti secolari
5. vero; vero; falso; vero.

Niccolò AMMANITI, *Io non ho paura,* Einaudi, 2001
Stefano BENNI, *Achille Piè Veloce*, Feltrinelli, 2003
Enrico BRIZZI, *Jack Frusciante è uscito dal gruppo*, Baldini e Castoldi, 1995
Andrea CAMILLERI, *Il ladro di merendine*, Sellerio, 1996
Gianrico CAROFIGLIO, *Testimone inconsapevole*, Sellerio, 2003
Raffaele CROVI, *Pianeta Terra*, Marsilio, 1999
Andrea DE CARLO, *Pura vita*, Mondadori, 2001
Gianni D'ELIA, in AA.VV. *Baci ardenti di vita*, Lieto Colle, 2001
Erri DE LUCA, *Aceto, arcobaleno*, Feltrinelli, 1992
Marcello FOIS, *Dura madre*, Einaudi, 2001
Marco LODOLI, *I fannulloni*, Einaudi, 1990
Carlo LUCARELLI, *Il giorno del lupo*, Einaudi, 1998
Valerio MAGRELLI, *Didascalie per la lettura di un giornale*, Einaudi, 1999
Laura MANCINELLI, *Attentato alla Sindone*, Einaudi, 2000
Margaret MAZZANTINI, *Non ti muovere*, Mondadori, 2001
Melania MAZZUCCO, *Vita*, Rizzoli, 2003
Sandro ONOFRI, *Registro di classe*, Einaudi, 2000
Francesco PICCOLO, *Allegro occidentale*, Feltrinelli, 2003
Roberto PIUMINI, *Io mi ricordo quieto patato...*, Nuove Edizioni Romane, 2001
Giuseppe PONTIGGIA, *Nati due volte*, Mondadori, 2000
Clara SERENI, *Passami il sale*, Rizzoli, 2002
Domenico STARNONE, *La retta via*, Feltrinelli, 1996
Antonio TABUCCHI, *Sogni di sogni*, Sellerio, 1992
Sandro VERONESI, *Per dove parte questo treno allegro*, Theoria, 1998
Simona VINCI, *Brother and Sister*, Einaudi, 2003
Valentino ZEICHEN, *Ogni cosa a ogni cosa ha detto addio*, Fazi, 2000

L'italiano per stranieri

Amato
Mondo italiano
testi autentici sulla realtà sociale
e culturale italiana
- libro dello studente
- quaderno degli esercizi

Ambroso e Di Giovanni
L'ABC dei piccoli

Ambroso e Stefancich
Parole
10 percorsi nel lessico italiano
esercizi guidati

Avitabile
Italian for the English-speaking

Balboni
GrammaGiochi
per giocare con la grammatica

Barki e Diadori
Pro e contro
conversare e argomentare in italiano
- **1** livello intermedio - libro dello studente
- **2** livello intermedio-avanzato - libro dello studente
- guida per l'insegnante

Barreca, Cogliandro e Murgia
Palestra italiana
esercizi di grammatica
livello elementare/pre-intermedio

Battaglia
Grammatica italiana per stranieri

Battaglia
Gramática italiana para estudiantes de habla española

Battaglia
Leggiamo e conversiamo
letture italiane con esercizi per la conversazione

Battaglia e Varsi
Parole e immagini
corso elementare di lingua italiana
per principianti

Bettoni e Vicentini
Passeggiate italiane
lezioni di italiano - livello avanzato

Blok-Boas, Materassi e Vedder
Letture in corso
corso di lettura di italiano
- **1** livello elementare e intermedio
- **2** livello avanzato e accademico

Buttaroni
Letteratura al naturale
autori italiani contemporanei
con attività di analisi linguistica

Camalich e Temperini
Un mare di parole
letture ed esercizi di lessico italiano

Carresi, Chiarenza e Frollano
L'italiano all'Opera
attività linguistiche attraverso 15 arie famose

Chiappini e De Filippo
Un giorno in Italia 1
corso di italiano per stranieri
principianti · elementare · intermedio
- libro dello studente con esercizi + cd audio
- libro dello studente con esercizi (senza cd audio)
- guida per l'insegnante + test di verifica
- glossario in 4 lingue + chiavi degli esercizi

Chiappini e De Filippo
Un giorno in Italia 2
corso di italiano per stranieri
intermedio · avanzato
- libro dello studente con esercizi + cd audio
- libro dello studente con esercizi (senza cd audio)
- guida per l'insegnante + test di verifica + chiavi

Cini
Strategie di scrittura
quaderno di scrittura - livello intermedio

Deon, Francini e Talamo
Amor di Roma
Roma nella letteratura italiana del Novecento
testi con attività di comprensione
livello intermedio-avanzato

Diadori
Senza parole
100 gesti degli italiani

du Bessé
PerCORSO GUIDAto - *guida di* ***Roma***
con attività ed esercizi

du Bessé
PerCORSO GUIDAto - *guida di* ***Firenze***
con attività ed esercizi

du Bessé
PerCORSO GUIDAto - *guida di* ***Venezia***
con attività ed esercizi

Gruppo CSC
Buon appetito!
tra lingua italiana e cucina regionale

Gruppo META
Uno
corso comunicativo di italiano - primo livello
- libro dello studente
- libro degli esercizi e grammatica
- guida per l'insegnante
- 2 audiocassette / libro studente
- 1 audiocassetta / libro esercizi

Gruppo META
Due
corso comunicativo di italiano - secondo livello
- libro dello studente
- libro degli esercizi e grammatica
- guida per l'insegnante
- 3 audiocassette / libro studente
- 1 audiocassetta / libro esercizi

Gruppo NAVILE
Dire, fare, capire
l'italiano come seconda lingua
- libro dello studente
- guida per l'insegnante
- 1 cd audio

Humphris, Luzi Catizone, Urbani
Comunicare meglio
corso di italiano - livello intermedio-avanzato
- manuale per l'allievo
- manuale per l'insegnante
- 4 audiocassette

Istruzioni per l'uso dell'italiano in classe 1
88 suggerimenti didattici per attività comunicative

Istruzioni per l'uso dell'italiano in classe 2
111 suggerimenti didattici per attività comunicative

Istruzioni per l'uso dell'italiano in classe 3
22 giochi da tavolo

Jones e Marmini
Comunicando s'impara
esperienze comunicative
- libro dello studente
- libro dell'insegnante

Maffei e Spagnesi
Ascoltami!
22 situazioni comunicative
- manuale di lavoro
- 2 audiocassette

Marmini e Vicentini
Passeggiate italiane
lezioni di italiano - livello intermedio

Marmini e Vicentini
Ascoltare dal vivo
materiale di ascolto - livello intermedio
- quaderno dello studente
- libro dell'insegnante
- 3 cd audio